MARWOLA

Nofelau Bob Eynon
o Wasg y Dref Wen

I BOB OEDRAN

Ffug-wyddonol
Y Blaned Ddur

Antur a Rhamant (gyda geirfa)
Y Ferch o Berlin *
Y Bradwr *
Bedd y Dyn Gwyn *

Gorllewin Gwyllt (gyda geirfa)
Y Gŵr o Phoenix *

Dirgelwch: Cyfres Debra Craig (gyda geirfa)
Perygl yn Sbaen
Y Giangster Coll
Marwolaeth heb Ddagrau

I BOBL IFANC
(gyda lluniau du-a-gwyn)
Yr Asiant Cudd
Crockett yn Achub y Dydd
Trip yr Ysgol
Yn Nwylo Terfysgwyr
Castell Draciwla
Arian am Ddim

* hefyd ar gael ar gasét yng nghyfres
LLYFRAU LLAFAR Y DREF WEN

MARWOLAETH
heb ddagrau

Bob Eynon

DREF WEN

© Bob Eynon 1989

Mae Bob Eynon wedi datgan ei hawl
i gael ei adnabod fel awdur y gwaith hwn yn unol â
Deddf Hawlfraint, Dyluniadau a Phatentau 1988.

Cyhoeddwyd gan Wasg y Dref Wen,
28 Ffordd yr Eglwys,
Yr Eglwys Newydd, Caerdydd CF4 2EA
Ffôn 01222 617860

Cynllun clawr gan Marian Delyth

Argraffwyd ym Mhrydain.

Argraffiad cyntaf 1989
Adargraffwyd 1999

I Rhian Ellis

1

Canodd y ffôn unwaith, ddwywaith, dair gwaith.

Cododd Ceri Llewelyn ei ben o'r glustog ac estyn amdano. Cyn iddo allu codi'r derbynnydd, distawodd.

Gwthiodd y flanced i ffwrdd a chodi o'r gwely fel hen ŵr. Roedd ei ben yn curo fel drwm. Roedd ei ddillad yn gorwedd ar y llawr wrth ochr y gwely. Aeth heibio iddyn nhw ac i mewn i'r ystafell ymolchi. Trodd y tap ar y gawod a theimlodd sioc y dŵr oer ar ei wyneb a'i gorff. Canodd y ffôn eto.

"Hylo . . . " Roedd y carped yn wlyb o dan ei draed. Doedd e ddim wedi cael amser i sychu ei gorff.

"Mr Llewelyn?" Llais merch oedd e.

"Ie."

"Fe ddarllenais i eich hysbyseb yn y *Standard* neithiwr. Rwy wedi ceisio'ch ffonio chi sawl gwaith ond . . . "

"Doeddwn i ddim yma neithiwr. Roeddwn i yn y West End yn dathlu fy mhen-blwydd. Ac nawr mae pen tost 'da fi."

"O . . . "

Doedd Ceri ddim yn meddwl yn glir. Roedd e wedi anghofio'r hysbyseb yn llwyr.

"Ble rydych chi nawr?" gofynnodd mewn llais blinedig.

"Yn Earls Court, ger yr orsaf," meddai'r ferch yn gyflym. "Fe ddes i o hyd i'ch cyfeiriad yn y llyfr ffôn."

Ochneidiodd Ceri Llewelyn yn ddwfn. Un ddyfal

oedd y ferch 'ma.

"Wel, dewch i'r fflat," meddai, bron yn anfodlon. "Gyda llaw, beth yw'ch enw chi?"

"Debra Craig," ebe'r ferch. "Fe fydda i yno mewn deng munud."

2.

Merch brydferth oedd Debra Craig, a chanddi wallt coch hir. Cyrhaeddodd hi'r fflat am ugain munud wedi deg yn union. Curodd ar y drws.

"Dewch i mewn."

Aeth i mewn i ystafell fach lle roedd dyn tal a chadarn yn taflu pethau i mewn i fag dillad. Dyn tua'r wyth ar hugain oed oedd e, sef pum mlynedd yn hŷn na Debra.

Edrychon nhw ar ei gilydd am foment heb ddweud gair, yna:

"Pen-blwydd hapus," meddai'r ferch. "Ydych chi'n teimlo'n well?"

"Tipyn," meddai Ceri. "Rwy newydd gael cawod oer."

"Ydych chi eisiau imi wneud coffi ichi?"

"Diolch. Mae'r tegell ar y stof yn barod. O ble rydych chi'n dod . . . o Gymru?"

"Ie. Abertawe."

"Mae fy nhad yn dod o Fethesda," meddai Ceri. "Ond fe ges i fy ngeni yma yn Llundain."

"Felly Cymro ydych chi."

Gwenodd Ceri arni.

"Efallai," meddai fe. "Dydw i ddim wedi pender-

8

fynu eto."

Clywson nhw'r tegell yn chwibanu, ac aeth Debra i mewn i'r gegin.

"Felly rydych chi am weithio i dditectif preifat," meddai Ceri trwy'r drws agored.

"Ydw," ebe'r ferch. "Mae profiad 'da fi. Fe weithiais i dditectif preifat yn California y llynedd."

Daeth hi'n ôl gan gario dau gwpanaid o goffi. Cyfeiriodd Ceri at y bag dillad ar ei ddesg.

"Mae'n rhaid imi fynd i Stavely yn y Cotswolds y prynhawn 'ma," meddai. "Rydw i'n gweithio ar achos diddorol iawn."

"Fyddwch chi i ffwrdd am amser hir?" gofynnodd Debra.

"Wn i ddim. Mae'n dibynnu ar yr achos."

"Ydych chi eisiau i rywun fod yma i ateb y ffôn?"

Siglodd y ditectif ei ben.

"Nac ydw. Os ydych chi'n derbyn y swydd fe fydd rhaid ichi ddod gyda fi. Mae'r bws yn gadael Victoria am un o'r gloch."

Roedd Debra'n edrych yn amheus, felly pwyntiodd Ceri at lun ar y wal. Llun merch ddu oedd e — merch bert iawn.

"Llun fy nghariad," esboniodd Ceri. "Model yw Donna. Ar hyn o bryd mae hi'n gweithio yn y Bahamas, ond pan fydd hi'n dod yn ôl fe fydda i'n gofyn iddi fy mhriodi. Nawr, fyddwch chi'n barod i deithio erbyn un o'r gloch neu beidio?"

Gorffennodd Debra ei choffi a rhoi'r cwpan i lawr ar y ddesg.

"Byddaf," meddai hi'n bendant. "Ble byddwn ni'n cwrdd — yma neu yn Victoria?"

9

3.

Yn ystod y daith adroddodd Ceri ei hanes wrth
Debra. Roedd e wedi treulio chwe blynedd yn y
Paras cyn penderfynu gadael y fyddin a gweithio fel
ditectif preifat. Siaradodd Debra am ei blynydd-
oedd yng ngholeg prifysgol Abertawe lle dysgodd
hi Ffrangeg a Sbaeneg. Roedd hi wedi byw yn
Ffrainc ac yn Sbaen, ac roedd hi wedi gweithio am
rai misoedd yn America.

Cyrhaeddodd y bws Stavely am bump o'r gloch.
Edrychodd Debra ar sgwâr y dref tra oedd Ceri yn
helpu'r gyrrwr i chwilio am eu bagiau. Roedd hi'n
pigo bwrw ac roedd siopau bach y dref yn edrych
yn drist yn y golau gwan. Hydref y cyntaf oedd hi,
ac roedd y dyddiau'n byrhau. Gosododd Ceri y
bagiau ar y llawr wrth ochr y ferch a dechreuodd y
bws symud i ffwrdd ar ei ffordd i Cheltenham.

"Mr Llewelyn?"

Edrychodd Debra i fyny. Roedd dyn tua deugain
oed yn croesi'r sgwâr i'r lle roedden nhw'n sefyll.
Dyn eitha golygus oedd e, a phan wenodd ar Debra
teimlai hi'n hapusach er gwaethaf y glaw.

"Peter Stacey ydw i," meddai'r dyn gan gynnig ei
law i'r ditectif. "Rydw i'n gweithio i Mr Colville,
ffrind Mrs Luscombe. Croeso i Stavely."

Cyfeiriodd at westy yng nghanol y sgwâr.

"Dyna'ch gwesty," meddai. "Mae Mrs Perkins yn
eich disgwyl chi. Ydych chi'n gweld y Mini Club-
man o flaen y gwesty?"

"Ydw," meddai Ceri.

"Roedd e'n perthyn i Nick, mab Mrs Luscombe,

cyn iddo farw. Gallwch chi ei ddefnyddio tra byddwch chi yn Stavely." Tynnodd e ddarn o bapur o'i boced. "A dyma fap o Stavely ichi," meddai. "Mae Mrs Luscombe yn eich disgwyl chi am saith o'r gloch. Nawr, gadewch imi eich helpu gyda'r bagiau."

4.

Roedd Mrs Adelina Luscombe yn byw mewn tŷ mawr yn y wlad tua dwy filltir y tu allan i Stavely. Daeth morwyn i agor y drws. Aethon nhw i mewn i'r lolfa lle roedd Mrs Luscombe yn aros amdanynt. Roedd hi'n gwisgo dillad du ac roedd ei hwyneb yn welw. Cyflwynodd Ceri Debra iddi hi.

"Dyma f'ysgrifenyddes, Debra Craig," meddai.

"Mae'n dda gen i gwrdd â chi, Mr Llewelyn, a chi, Miss Craig. Eisteddwch. Mae chwarter awr 'da ni cyn i'r lleill gyrraedd."

"Pwy ydy'r lleill, Mrs Luscombe?" gofynnodd y ditectif.

"Fy merch, Judith; Adrian Livermore, gŵr fy merch; ac Arthur Colville, ffrind i'r teulu."

"Faint ydy oed Judith?"

"Judith? Dwy ar hugain." Trodd llais y wraig yn drist. "Roedd Nick yn ugain oed pan fu farw fis yn ôl."

Gostyngodd Ceri ei lygaid.

"Ydych chi'n barod i ddweud yr hanes wrthon ni, Mrs Luscombe?"

"Ydw. Mae eisiau help arna i. Rydw i'n dibynnu

11

arnoch chi, Mr Llewelyn."

Ceisiodd y ditectif wenu.

"Ewch ymlaen," meddai fe.

"Does dim llawer i'w ddweud," ebe Mrs Luscombe. "Roedd Nick wedi dod yn ôl o Lundain am y penwythnos. Fore dydd Sul fe aeth Betty, y forwyn, i'r hafoty."

"Yr hafoty?"

"Ie. Mae hafoty ar ben arall yr ardd, rhwng y coed. Tŷ'r gweision oedd e yn wreiddiol, ond roedd Nick yn arfer ei ddefnyddio fel math o dŷ haf. Roedd e'n cysgu yno ond roedd e'n bwyta yn y tŷ 'ma."

Anadlodd yn ddwfn cyn mynd yn ei blaen.

"Roedd drws yr hafoty ar glo, ond cymerodd Betty yr allwedd oedd wedi ei chuddio o dan bot blodau ger y drws. Pan aeth hi i mewn gwelodd hi Nick yn gorwedd wrth droed y grisiau. Roedd ei wddf wedi ei dorri."

Sychodd ei thalcen â hances.

"Beth mae'r heddlu yn ei ddweud?" gofynnodd Debra yn sydyn.

"Damwain." Roedd llais Adelina Luscombe yn chwerw. "Maen nhw'n dweud bod Nick wedi cwympo i lawr y grisiau. Ond dydw i ddim yn cytuno â nhw."

Cliriodd Ceri ei wddf.

"Oedd Nick ar ei ben ei hun yn yr hafoty y noson honno?" gofynnodd.

"Dyna beth mae'r heddlu'n ei ddweud," atebodd Mrs Luscombe. "Ond roedd popeth yn lân ac yn daclus yn yr hafoty a doedd Nick ddim yn daclus o gwbl. Roedd yr holl beth yn annaturiol."

Ochneidiodd Ceri.

"Oes rhywbeth arall, Mrs Luscombe?"

Roedd llygaid y wraig yn llawn dagrau.

"Oes," meddai hi. "Yn ôl y postmortem roedd Nick wedi cymryd heroin cyn iddo farw!"

5.

Roedd y tri gwestai arall yn eistedd wrth y bwrdd yn barod. Dyn tua thrigain oed oedd Arthur Colville, perchennog siop hen bethau yn Stavely. Roedd e'n gwisgo siwt las gostus.

Eisteddai Judith Livermore gyferbyn â Debra. Roedd gwallt byr golau ganddi ac roedd ei hwyneb yn wyn. Roedd Adrian, ei gŵr, yn eistedd wrth ei hochr. Dyn tenau oedd e, a chanddo sbectol fawr ar ei drwyn hir.

"Ffrind i'r teulu ydw i," meddai Colville ar unwaith. "Pan fu farw Harold Luscombe saith mlynedd yn ôl, gofynnodd Adelina imi helpu gyda'r problemau ariannol ac ati."

Profodd Ceri ei win.

"Oedd y problemau'n ddifrifol?" gofynnodd.

"Roedd Harold wedi bod yn sâl am sbel," esboniodd Mrs Luscombe. "Roedd y busnes wedi dirywio tipyn. Yn ffodus, roedd arian y ddau blentyn yn ddiogel mewn cwmni yswiriant. Ond welodd Nick mo'r arian achos doedd e ddim yn un ar hugain oed."

"Pwy fydd yn etifeddu arian Nick nawr?" gofynnodd Ceri Llewelyn.

"Fi," meddai Judith.

"A pham lai?" dywedodd Adrian Livermore yn sydyn. "Fe adawodd Harold Luscombe yr arian i'w ddau blentyn, on'd do?"

Ddywedodd neb air. Roedd gŵr Judith yn edrych yn grac iawn. Penderfynodd y ditectif droi'r sgwrs.

"Oedd llawer o ffrindiau 'da Nick?" gofynnodd.

Siglodd Adelina Luscombe ei phen.

"Nac oedd," meddai hi. "Fe anfonais i Nick i ysgol breifat yn Rhydychen, ac roedd hynny yn gamgymeriad. Fe aeth Judith i'r ysgol leol, felly mae llawer o ffrindiau 'da hi yn y dref."

"Fe ddywetsoch chi fod Nick yn treulio amser yn Llundain."

"Do. Roedd e'n gweithio mewn stiwdio recordio yn Soho."

"Oedd e'n dod â ffrindiau o Lundain i Stavely?"

"Weithiau." Roedd Mrs Luscombe yn edrych yn flinedig.

"Rhywun yn ddiweddar?"

"Fe ddaeth Arab i aros yn yr hafoty y tro diwethaf. Myfyriwr."

"Pryd roedd hynny?"

"Rhai wythnosau cyn i Nick farw."

Gorffennodd Ceri ei win.

"Oes llun o Nick 'da chi, Mrs Luscombe?"

"Mae un 'da fi," meddai Judith yn dawel. Tynnodd hi'r llun o'i bag llaw a'i estyn i'r ditectif.

Edrychodd Ceri ar y llun. Roedd Nick Luscombe yn olygus ond roedd ei wyneb yn wan ac yn gyfrwys ar yr un pryd.

14

"Mrs Luscombe," meddai Ceri. "Beth ydych chi eisiau i mi wneud?"

"Rwy eisiau ichi ddarganfod pwy oedd yn gyfrifol am farwolaeth fy mab, a phwy a roddodd yr heroin iddo."

Roedd hi'n dywyll pan aeth Ceri a Debra allan i'r lle roedden nhw wedi parcio'r Mini Clubman.

"Mr Llewelyn!"

Trodd Ceri ei ben a gweld Adrian Livermore yn dod i lawr grisiau'r tŷ.

"Beth?"

Roedd llygaid Adrian yn disgleirio y tu ôl i'w sbectol. Roedd e wedi yfed gormod o win.

"Dyma ddarn o gyngor ichi, Llewelyn," meddai. "Ewch yn ôl i Lundain ac arhoswch yno."

Aeth Ceri i agor drws y car i Debra. Eisteddodd y ferch yn y sedd flaen a chaeodd e'r drws. Yna aeth e'n ôl i wynebu Adrian Livermore.

"Amser gwely, boi bach," meddai'n dawel.

"Does . . ."

"Bagla hi, Adrian, rwy wedi cael llond bol ohonot ti."

Petrusodd Livermore am eiliad, yna trodd ei gefn a mynd i mewn i'r tŷ gan roi clep i'r drws.

6.

Yn y bore cawson nhw frecwast yn y gwesty. Roedd dyn ifanc yn yr ystafell fwyta. Roedd e'n darllen papur newydd a sylwodd e ddim arnyn nhw pan

15

ddaethon nhw i mewn. Ond roedd Mrs Perkins yn awyddus iawn i siarad â nhw ynglŷn â phwrpas eu hymweliad â Stavely.

"Felly, ffrindiau Mrs Luscombe ydych chi," meddai gan osod y llestri o'u blaen. "O, fe gafodd hi sioc ofnadwy pan fu farw Nick."

"Oeddech chi'n nabod Nick Luscombe?" gofynnodd Debra.

"Ddim yn iawn. Ar ôl marwolaeth ei dad fe aeth e'n wyllt am sbel ond wedyn fe aeth e i ffwrdd i'r ysgol breifat 'na."

"Felly doedd dim ffrindiau 'da fe yn Stavely," meddai Debra.

Meddyliodd Mrs Perkins am funud.

"Rwy wedi ei weld e gyda Mark Stacey," meddai hi.

"Mark Stacey?"

"Ie. Mab Peter Stacey, y dyn a ddaeth â chi yma ddoe. Mae Mark yn gweithio yn Llundain. Roedd Nick yn gweithio yn Llundain hefyd."

Diflannodd hi i mewn i'r gegin. Bwytaodd Ceri ei wyau.

"Ar ôl brecwast rwy'n mynd i swyddfa'r heddlu," meddai wrth Debra. "Fe wela i di yma am ganol dydd."

Roedd swyddfa heddlu Stavely mewn hen adeilad yn y stryd fawr. Pwysodd Ceri ar fotwm gwyn ar y cownter a daeth plismon ifanc i weld pwy oedd yno. Sylwodd Ceri fod y plismon yn gloff fel petai wedi cael damwain.

"Fe hoffwn i ofyn rhai cwestiynau ichi am Nick

16

Luscombe," ebe Ceri.

Aeth wyneb y plismon yn swrth.

"Ewch ymlaen," meddai'n sych.

"Yn ôl Mrs Luscombe roedd ei mab wedi cymryd heroin cyn iddo fe gwympo i lawr y grisiau."

"Oedd. Llawer o heroin."

"Ddaethoch chi o hyd i heroin yn yr hafoty, neu nodwyddau hyd yn oed?"

"Naddo. Roedd e wedi mynd rywle arall i gymryd yr heroin."

"Sut daeth e adref?"

"Yn ei gar. Roedd y Mini Clubman wedi ei barcio ar y llwybr y tu ôl i'r hafoty."

"Fe yrrodd e adref ar ôl cymryd yr heroin?"

"Do. Ac fe agorodd glwyd yr ardd hefyd, ac wedyn ei chloi. Roedd allweddi'r glwyd a'r hafoty yn ei boced pan fu farw."

"Ond mae'r stori 'na yn anhygoel."

Gwenodd y plismon yn eironig.

"Dywedwch hynny wrth y crwner, nid wrtho i."

"Beth am olion bysedd yn yr hafoty? Oedd Nick ar ei ben ei hun y noson 'na?"

"Alwon ni mo'r C.I.D. i mewn. Roedd yn amlwg ei fod e wedi cwympo i lawr y grisiau."

Roedd y plismon yn gwenu o hyd ond roedd ei lygaid yn llym.

"Mae'n rhaid imi fynd yn ôl at fy ngwaith," meddai'n sydyn. "Ond un peth. Peidiwch â gwastraffu eich amser ar Nick Luscombe. Plentyn wedi ei ddifetha oedd e. Roedd gormod o arian 'da fe a dim digon o synnwyr cyffredin. Roedd pawb yn Stavely yn ei gasáu!"

17

7.

Am ddau o'r gloch gyrrodd Ceri a Debra yn ôl i dŷ Mrs Luscombe. Roedd Adelina yn gorffwys yn ei hystafell ond roedd hi wedi gofyn i'r forwyn helpu'r ditectif ym mhob ffordd.

"Fe hoffwn i weld yr hafoty," meddai Ceri. "Fyddai hynny yn bosibl?"

"Wrth gwrs, Mr Llewelyn."

Dilynon nhw Betty ar hyd llwybr a oedd yn arwain trwy goed trwchus. Pan gyrhaeddon nhw'r hafoty, chwiliodd y forwyn am yr allwedd o dan bot blodau wrth ochr y drws.

"Pwy arall sy'n gwybod am yr allwedd?" gofynnodd y ditectif.

"Ffrindiau Master Nick, efallai. Ond roedd e'n cario allwedd yn ei boced. Rydw i'n defnyddio'r allwedd yma pan rwy'n dod i lanhau'r ystafelloedd."

"Betty," ebe Debra. "Yn ôl Mrs Luscombe roedd yr hafoty yn daclus y noson y bu farw Nick. Oeddech chi newydd lanhau'r ystafelloedd?"

Edrychodd y forwyn arni hi.

"Nac oeddwn. A fel arfer roedd Master Nick yn flêr iawn."

"Ydych chi'n gallu esbonio sut roedd yr hafoty mor daclus y noson honno?" gofynnodd Debra.

"Nac ydw, Miss."

Aethon nhw i mewn i'r hafoty. Sylwodd Debra fod y dodrefn yn blaen. Aeth Ceri i fyny'r grisiau i weld y ddwy ystafell wely.

"Beth oedd Nick yn gwisgo pan fu farw?"

gofynnodd y Gymraes.

"Crys, trowsus, sgidiau."

"Felly doedd e ddim ar fin mynd i'r gwely. Oedd y golau wedi ei gynnau?"

"Nac oedd. Roedd y goleuadau i gyd wedi eu diffodd."

"Felly roedd e'n symud o gwmpas y tŷ yn y tywyllwch?"

"Oedd."

Daeth Ceri i lawr y grisiau.

"Am faint o'r gloch bu farw Nick?" gofynnodd.

"Doedden nhw ddim yn siŵr, Syr. Yn ôl y meddyg, rhwng hanner nos a thri o'r gloch y bore."

Edrychodd y ditectif drwy'r ffenestr gefn.

"Roedd y Mini Clubman wedi ei barcio ar y llwybr y tu allan i'r glwyd haearn," meddai. Roedd y glwyd yn uchel, fel y mur. "I ble mae'r llwybr yn arwain?"

"Trwy'r coed, Syr. Mae rhwydwaith o lwybrau sy'n arwain i bob cyfeiriad."

"Yn ôl Mrs Luscombe roedd y glwyd ar glo," ebe Ceri.

"Oedd, ac roedd allwedd y glwyd ym mhoced Master Nick, ac allwedd y tŷ hefyd."

"Y tŷ?"

"Y tŷ 'ma. Yr hafoty."

Ystyriodd Ceri am funud.

"Gwrddoch chi â'r Arab a ddaeth yma, Betty?"

Siglodd y forwyn ei phen.

"Naddo. Doeddwn i ddim yn gweithio'r penwythnos yna."

Edrychodd e arni. Doedd hi ddim yn ifanc.

Roedd e wedi siarad â llawer o bobl yn barod, ond nawr roedd rhaid iddo siarad â phobl o'r un oedran â Nick Luscombe.

"Ble mae'r bobl ifanc yn cwrdd yn Stavely?" gofynnodd.

"Y bobl ifanc? Wel, rwy wedi clywed bod y Llew Coch yn boblogaidd."

"Ble mae'r Llew Coch?"

Caeodd Betty y drws y tu ôl iddyn nhw.

"Ar y ffordd i Burford," meddai hi. "Tua milltir i ffwrdd."

8.

"Rwyt ti'n edrych yn brydferth iawn heno, Debra."

Trodd Debra ei phen. Roedd hi'n eistedd o flaen y drych gan gribo ei gwallt. Roedd Ceri wedi dod i mewn heb guro.

"Dere i mewn," meddai hi gyda thipyn o eironi yn ei llais. "Fwynheaist ti'r siesta?"

Croesodd y ditectif yr ystafell ac eistedd ar y gwely.

"Do," meddai. "Rwy'n teimlo'n hwyliog. Ar ôl swper fe awn ni i'r Llew Coch."

Siglodd y ferch ei phen.

"Nid y fi," meddai. "Fe gwrddais i â Peter Stacey y bore 'ma, tra oeddet ti yn swyddfa'r heddlu. Rwy'n cwrdd â fe heno yn y Maltsters."

"Peter Stacey?" Crafodd Ceri ei ên. "Ond mae e'n rhy hen i ti, Debra."

Fflachiodd llygaid y Gymraes am eiliad.

"Ac rwyt ti'n rhy ifanc i roi cyngor i mi!"

Cododd Ceri Llewelyn ei ysgwyddau.

"*Touché*," meddai dan wenu. "Ond paid ag anghofio gofyn cwestiynau iddo fe am Nick Luscombe a'i fab, Mark."

Trodd Debra'n ôl at y drych.

"Wrth gwrs," meddai hi. "Dyna pam y des i i Stavely."

Ar ei ffordd i'r dafarn stopiodd Ceri Llewelyn y Clubman i roi lifft i fachgen oedd yn cerdded ar hyd yr heol gul.

"Diolch," meddai'r llanc gan ddod i mewn i'r car. "O, rydyn ni'n aros yn yr un gwesty!"

"Ydyn," cytunodd Ceri. "Ble rydych chi'n mynd?"

"Ddim yn bell. I'r Llew Coch. Gyda llaw, Stephen Pendry yw fy enw i."

Gyrrodd Ceri'r Mini Clubman i mewn i faes parcio'r Llew Coch. Gwelodd fod caban ffôn o flaen drws y dafarn.

"Mae'n rhaid imi wneud galwad ffôn cyn mynd i mewn," meddai.

"Iawn," atebodd Stephen. "Beth rydych chi'n yfed?"

"Cwrw, os gwelwch yn dda."

Ymhen munud roedd Ceri yn siarad â George, brawd Donna. Roedd George yn rheolwr tafarn yn Earls Court, ac roedd e newydd gael newyddion am Donna. Roedd hi'n mynd i adael y Bahamas erbyn y penwythnos, ond roedd rhaid iddi dreulio pythefnos yn Florida cyn dod yn ôl i Lundain.

21

Pan aeth e i mewn i'r dafarn gwelodd fod Stephen Pendry yn eistedd wrth fwrdd rhwng dau grŵp o bobl ifanc. Ar y chwith roedd grŵp o byncs yn eistedd o flaen *juke-box* swnllyd. Yn y gornel arall roedd grŵp o Hell's Angels yn eistedd o gwmpas tân agored.

Eisteddodd Ceri wrth ochr Stephen Pendry. Roedd un o'r Hell's Angels yn syllu arnyn nhw trwy'r amser. Llanc mawr oedd e, ac roedd e'n gwenu'n oeraidd. Roedd y lleill yn edrych ar y llanc mawr fel petasen nhw'n disgwyl iddo fe wneud rhywbeth. Gallai Ceri deimlo'r tensiwn yn yr awyr. Doedd e ddim yn gwybod pam, ond roedd e'n siŵr y byddai'r llanc mawr yn achosi trafferth cyn bo hir . . .

9.

Roedd Peter Stacey yn eistedd yn lolfa'r Maltsters yn barod pan gyrhaeddodd Debra.

"Hylo," meddai fe. "Beth gymerwch chi?"

"Campari a lemonêd, os gwelwch yn dda," meddai'r Gymraes. Roedd hi'n edrych yn hardd iawn mewn blows werdd a sgert wen.

Daeth Peter â'r ddiod at y bwrdd.

"Diolch," meddai Debra dan wenu. "Roedd Ceri yn siarad â phlismon yn swyddfa'r heddlu y bore 'ma."

"Pwy . . . Sarjant Groves neu Miller?"

"Plismon ifanc oedd e."

"Miller felly."

Sipiodd Debra'r Campari. Roedd e'n dda.

"Doedd Miller ddim yn hoffi Nick Luscombe," meddai hi.

"Dydy Miller ddim yn hoffi neb yn Stavely," sylwodd Peter.

"O?"

"Aeth Miller i ymuno â'r heddlu yng Nghaerloyw,"esboniodd Peter."Un nos Sadwrn fe ymosododd grŵp o fechgyn arno. Fe fydd e'n gloff am weddill ei fywyd. Dyna pam mae e'n chwerw."

"Oedd eich mab, Mark, yn hoffi Nick?"

"Mark?"

"Ie. Fe glywais i eu bod nhw'n ffrindiau."

Siglodd Peter Stacey ei ben.

"Roedden nhw'n nabod ei gilydd," meddai, "ond doedden nhw ddim yn ffrindiau."

"Ond roedd y ddau ohonyn nhw'n byw ac yn gweithio yn Llundain."

"Oedden, ond mae Mark yn gweithio gydag Adrian Livermore mewn cwmni yswiriant ger Ludgate Circus. Roedd Nick yn gweithio mewn stiwdio recordio yn Soho."

Yfodd Peter dipyn o'i gwrw cyn mynd yn ei flaen.

"Roedd Nick Luscombe yn gyfoethog," meddai. "Ond roedd rhaid i Mark weithio'n galed yn yr ysgol er mwyn llwyddo yn yr arholiadau lefel O ac A . . . Gyda llaw, dyweddi Ceri Llewelyn ydych chi?"

"Nage." Cochodd Debra dipyn am fod Peter yn syllu arni hi. "Mae dyweddi 'da fe'n barod. Ysgrifenyddes Ceri ydw i."

"Reit," meddai Peter. "Nawr does dim cyfrinachau 'da ni."

"Dwy ddim yn siŵr am hynny," ebe'r ferch dan wenu. "Beth am Mrs Stacey?"

Rhoddodd Peter ei gwrw ar y bwrdd.

"Bu farw fy ngwraig pan oedd Mark yn blentyn bach," meddai.

"O, mae'n ddrwg gen i, Peter."

"Dyna sut y des i i weithio i Arthur Colville. Ydych chi wedi cwrdd â Mr Colville?"

"Ydw. Neithiwr yn nhŷ Adelina Luscombe."

"Wel, ar ôl marwolaeth fy ngwraig fe ddechreuais i yfed gormod. Roedd rhaid i'w fodryb ofalu am Mark oherwydd roeddwn i'n treulio fy mywyd yn y tafarnau. Un prynhawn fe ddaeth Mr Colville i mewn i'r bar lle roeddwn i'n yfed gyda ffrindiau. Fe ofynnodd am help i roi dodrefn ar gefn lori. Fi oedd yr unig un oedd yn barod i'w helpu. Rwy wedi gweithio iddo fe ers y dydd hwnnw."

Edrychodd Debra ar y gwydraid o gwrw.

"Dydy cwrw ddim yn broblem imi nawr," meddai Peter. "Diolch i Arthur Colville."

Agorodd drws y lolfa a throdd Debra ei phen. Roedd Adrian a Judith Livermore yn dod i mewn i'r ystafell, a doedden nhw ddim yn edrych yn hapus o gwbl.

10.

Roedd tymer Ceri yn codi bob munud. Roedd yr Hell's Angels yn dal i syllu arno fe a'i bartner. Edrychodd Ceri ar Stephen Pendry, ond roedd y llanc yn yfed ei gwrw heb dalu sylw i'r grŵp yn y siacedi lledr.

Yn sydyn cododd Stephen ar ei draed.

"Rwy'n mynd i'r toiled," meddai.

Aeth heibio i'r grŵp ac i mewn i'r toiled. Wrth i'r drws gau y tu ôl iddo, cododd yr Hell's Angel mawr hefyd.

"Duke . . ." meddai un o'r grŵp, ond aeth y dyn mawr yn syth at ddrws y toiled.

Aeth y grŵp yn ddistaw. Edrychodd Ceri Llewelyn ar ei wats. Aeth munud, dwy funud heibio. Yna penderfynodd e fynd i weld beth oedd yn digwydd.

Roedd Stephen Pendry yn sefyll yng nghornel yr ystafell ymolchi gan sychu ei ddwylo ar dywel papur. Roedd yr Hell's Angel yn golchi ei wyneb mewn basn ymolchi wrth y wal. Trodd Duke ei ben pan ddaeth Ceri Llewelyn i mewn i'r toiled a gwelodd y ditectif fod ei wyneb yn waed i gyd. Edrychodd Ceri ar Stephen Pendry.

"Fe geisiodd e ymosod arna i," meddai Stephen. "Roedd e eisiau gwybod am y Mini Clubman, ond doeddwn i ddim yn gallu rhoi ateb iddo."

"Duke, beth sy'n bod?"

Roedd grŵp o Hell's Angels wedi dod i mewn i'r ystafell. Trodd Ceri a Stephen i'w hwynebu nhw. Ond yn sydyn agorwyd y drws eto a chafodd Ceri gipolwg ar wallt amryliw y pyncs. Syllodd yr Hell's Angels ar y pyncs a syllodd y pyncs ar yr Hell's Angels am foment. Yna dechreuodd ail frwydr y Little Big Horn . . .

Roedd Debra yn hapus i fod ar ei phen ei hun gyda Peter Stacey o flaen gwesty Mrs Perkins. Doedd hi ddim wedi mwynhau'r hanner awr ddiwetha yn y dafarn. Doedd Judith ac Adrian Livermore ddim wedi siarad â'i gilydd o gwbl, a doedd Adrian ddim wedi siarad â Debra chwaith.

Ond nawr roedd y lloer a'r sêr yn glir yn yr awyr ac roedd Debra'n meddwl bod Stavely yn dref ramantus iawn. Edrychodd hi ar wyneb Peter Stacey. Roedd e'n olygus. Oedd e'n mynd i'w chusanu hi?

Yn sydyn clywson nhw leisiau y tu ôl iddyn nhw. Roedd dau lanc yn siarad yn gyffrous iawn.

"Roedd yr Angels eisiau gwybod pwy oedd wedi dod i'r Llew Coch yng nghar Nick Luscombe," meddai un. "Fe gafodd Duke ei daro i lawr gan yrrwr y Mini Clubman ac yna ymosododd y pyncs ar yr Angels."

"Ble maen nhw nawr?" gofynnodd y llall.

"Daeth Black Maria o'r diwedd," ebe ei ffrind. "Mae rhai yn yr ysbyty a'r lleill yn swyddfa'r heddlu!"

11.

Roedd Ceri yn falch o fod ar ei ffordd yn ôl i Lundain. Roedd e wedi mwynhau'r sgarmes yn y Llew Coch, ond nid y tair awr yn swyddfa heddlu Stavely.

Roedd Stephen Pendry wedi esbonio wrth Ceri mai paffiwr amatur oedd e. Roedd e newydd gymryd rhan mewn pencampwriaeth yn Rhyd-ychen. Dyna pam roedd e wedi delio â Duke heb drafferth. Wrth gwrs, ddywedodd e ddim gair am y paffio wrth yr heddlu.

"Tybed pam cymerodd yr Hell's Angels gymaint o ddiddordeb yng nghar Nick Luscombe?" gofynnodd Ceri i Debra. Ond roedd ei ysgrifenyddes yn cysgu, ac roedd rhaid i'r ditectif dreulio ei amser yn gwylio'r caeau gwyrdd trwy ffenestr y bws.

Yn y prynhawn cwrddodd Ceri a Debra yn Piccadilly Circus. Roedd Debra wedi cael cawod yn ei fflat yn Holland Park, ac roedd hi'n teimlo'n llawer gwell. Roedd Ceri wedi treulio awr gyda George, brawd ei gariad, yn y Forester's yn Earls Court.

Aethon nhw'n syth i'r stiwdio recordio yn Wardour Street, Soho, lle roedd Nick Luscombe wedi gweithio. Roedd y stiwdio ar y llawr cyntaf, uwchben siop *delicatessen*. Roedd perchennog y stiwdio yn ddyn deg ar hugain oed, ac roedd e'n siarad yn gyflym fel troellwr recordiau ar y radio. Dywedodd mai John Luce oedd ei enw.

"Nick Luscombe? Siŵr. Roedd e'n gweithio yma am ddwy flynedd."

"Sut ddyn oedd e, Mr Luce?" gofynnodd Ceri.

"Cymeriad oedd e. Roedd e'n hoffi gyrru ceir cyflym a mynd o gwmpas y clybiau nos."

"Ond yn Stavely roedd e'n gyrru Mini Clubman."

Chwarddodd John Luce yn uchel.

"Mini Clubman? Wel, wel. Yma roedd e'n gyrru Lotus neu Aston Martin."

"Oedd e'n ennill llawer o arian?"

"Yma?" Edrychodd Luce o'i gwmpas ar y stiwdio. Roedd popeth yn hen a llychlyd. "Nac oedd. Ond roedd ei deulu'n gyfoethog."

"Oedd ffrindiau 'da fe yn y brifddinas?" gofynnodd Debra.

Gwenodd John Luce arni. Doedd e erioed wedi gweld merch mor brydferth.

"Roedd e'n rhannu fflat gyda bachgen arall," meddai. "Ac roedd e'n sôn am ffrind o Stavely."

"Mark Stacey?"

"Dyna fe, Mark."

"Beth am ferched?" gofynnodd Ceri.

"Merched?"

"Ie. Oedd cariad 'da fe?"

Cododd Luce ei ysgwyddau.

"Roedd llun ar ei ddesg," meddai. "Roedd tair merch yn y llun."

"Gaf i weld y llun 'na?" gofynnodd y ditectif.

"Fe gliriais i bethau Nick i mewn i ystafell sbâr," meddai Luce. "Fe fydd rhaid imi chwilio am y llun."

Estynnodd Ceri gerdyn iddo fe.

"Fy ngherdyn i," meddai. "Os dewch chi o hyd i'r llun . . . "

"Wrth gwrs. Fe gysyllta i â chi."

"Diolch. Oedd Nick yn sôn am unrhyw glwb nos yn enwedig?"

"Oedd. Patterson's yn Greek Street. Roedd e'n mynd yno bron bob nos."

Trodd Luce at Debra a gofyn, "Ydych chi'n canu, Miss Craig?"

"Canu? Wel, roeddwn i'n canu mewn côr yn y

28

coleg."

"Fe fyddech chi'n edrych yn hyfryd ar y llwyfan," meddai Luce. "Os bydd eisiau rheolwr arnoch chi, cysylltwch â fi . . ."

Yn ôl yn y stryd trodd Ceri at ei ysgrifenyddes.

"Rwyt ti wedi colli, Debra," meddai fe.

"Dydw i ddim yn deall," atebodd hi.

"Fe fydd rhaid i ti ymweld â fflat Nick Luscombe. Fe ymwela *i* â chlwb nos Patterson's!"

12.

Roedd arwydd mawr wrth ddrws clwb nos Patterson's yn hysbysebu: "Awr Hapus. 5-7 o'r gloch. Coctêls hanner pris."

Aeth Ceri i mewn heb lofnodi'r llyfr ymwelwyr. Roedd dyn enfawr yn sefyll wrth y drws. Edrychodd e ar Ceri ond ddywedodd e ddim gair. Cerddodd y ditectif heibio i lwyfan mawr i gyfeiriad y bar. Doedd dim llawer o gwsmeriaid eto; dim ond ychydig o ddynion busnes oedd newydd adael y swyddfa.

"Coctêl," ebe Ceri wrth y barman.

Yn sydyn ymddangosodd dyn mewn *tuxedo* ar y llwyfan a chyhoeddi, "Croeso i Glwb Patterson's. Ac i ddechrau, fe fydd Miss Gigi Lamour yn dawnsio i chi."

Daeth merch hardd ar y llwyfan a dechrau dawnsio. Roedd hi'n gwisgo leotard du ac roedd ganddi gorff rhyfeddol. Roedd y barman yn sefyll yn ymyl y ditectif gan syllu ar y ferch. Tynnodd Ceri lun Nick Luscombe o'i boced a'i roi ar y cownter o flaen y dyn.

"Ydych chi'n nabod y llanc 'ma?" gofynnodd.

Edrychodd y barman ar y llun am foment cyn troi ei ben yn ôl i gyfeiriad y ferch ar y llwyfan.

"Nac ydw," meddai'n sych. "Pam?"

"Fe gafodd ei ladd fis yn ôl. Cyn hynny roedd e'n dod yma bob nos."

"Wel, dydw i ddim yn ei nabod e," meddai'r barman yn bendant — yn rhy bendant.

"Pwy yw'r rheolwr yma?" gofynnodd Ceri.

"Mr Steele. Gyda llaw, pwy ydych chi?" Roedd llais y dyn yn llym.

"Ditectif preifat. Dywedwch wrth eich Mr Steele fy mod i eisiau siarad â fe."

Diflannodd y dyn i mewn i ystafell y tu ôl i'r bar. Roedd y miwsig wedi gorffen. Trodd Ceri ei ben a gweld Miss Gigi Lamour yn eistedd ar stôl yn ei ymyl.

"Rydych chi'n dawnsio'n dda," meddai fe dan wenu. "Mae pawb wedi mwynhau."

"Diolch," meddai'r ferch. "Dim ond ymarfer oedd e. Rwy'n astudio dawns a drama yn y Coleg Brenhinol. Ond mae rheolwr y clwb yn ffrind imi."

"Mr Steele?"

"Ie — Gary."

Roedd y barman wedi dod yn ôl, a chododd Ceri Martini i'r ferch a choctêl arall iddo fe ei hun. Blasodd y coctêl. Roedd e'n fwy chwerw na'r coctêl cyntaf.

"Mae'n chwerw," cwynodd wrth y barman.

Doedd wyneb y barman yn dangos dim.

"Fe ychwanegais i wisgi," esboniodd. "Ydych chi eisiau mwy o lemonêd?"

"Nac ydw." Gwagiodd e'r gwydryn a throdd at y ferch.

"Felly rydych chi'n nabod y rheolwr, Mr . . ." Roedd e wedi anghofio enw rheolwr y clwb. Doedd e ddim yn meddwl yn glir.

"Steele," meddai'r ferch. "Fe gwrddais i â Gary yn Hyde Park yn yr haf."

Rhwbiodd Ceri ei lygaid. Roedd y golau yn rhy gryf iddo.

"Rwy'n . . . rwy'n . . . deall," meddai'n araf iawn.

Gwenodd Gigi Lamour arno fe. Roedd ei dannedd yn finiog. Roedd Ceri'n cofio nawr; roedd e wedi cwrdd â'r ferch 'ma o'r blaen . . . mewn hunllef! Gwrach oedd hi. Roedd rhaid iddo fe ddianc. Dechreuodd e gerdded at y drws. Doedd e ddim yn teimlo'n dda o gwbl. Aeth heibio i'r dyn enfawr. Roedd y dyn yn chwerthin fel gwallgofddyn. Yna clywodd e sŵn traffig a lleisiau pobl.

"Cymer ofal, Sid. Mae e wedi meddwi."

Roedd e eisiau gofyn am help ond roedden nhw i gyd yn rhedeg i ffwrdd. Roedd e ar ei ben ei hun yng nghanol Llundain. Aeth ar ei benliniau ar y palmant. Roedd pobl yn gweiddi yn y pellter. Clywodd e lais merch gerllaw. Roedd hi'n ceisio ei helpu, ond roedd yn rhy hwyr. Roedd e'n syrthio i mewn i bwll diwaelod . . .

31

13.

Roedd Paul Allen yn hapus i ateb cwestiynau Debra Craig. Roedd e wedi rhannu ystafell gyda Nick Luscombe yn yr ysgol breifat yn Rhydychen ac wedi rhannu'r fflat yn Llundain.

"Felly roedd Nick yn hoffi mynd o gwmpas y clybiau nos," sylwodd Debra.

"Oedd," meddai Paul. "Ond doeddwn i ddim yn mynd gyda fe. Myfyriwr ydw i, ac mae llawer o waith cartref 'da fi bob nos."

"Oedd digon o arian 'da Nick?"

"Oedd. Roedd e'n ennill llawer o arian yn ei waith."

"Yn y stiwdio recordio?"

"Ie."

Meddyliodd y ferch am y stiwdio lychlyd ac am eiriau John Luce.

"Felly roedd Nick yn talu'r rhent yn brydlon."

Petrusodd y myfyriwr cyn ateb.

"Fe gafodd Nick broblemau ariannol rai misoedd yn ôl," cyfaddefodd. "Roedd rhyw fenter busnes wedi methu. Roedd rhaid i mi dalu'r rhent i gyd am sbel."

"Oedd ffrindiau 'da Nick yn Llundain?"

"O, oedd; ond doedden nhw ddim yn dod i'r fflat. A dweud y gwir, doedd Nick ddim yn treulio llawer o amser yma."

"Ydych chi wedi clywed am Mark Stacey?"

"Ydw. Roedd Nick yn cwrdd â fe o bryd i'w gilydd."

"Ac oedd cariad 'da Nick?"

Gwenodd Paul arni hi.

"Oedd, a nac oedd," meddai.

"Beth rydych chi'n feddwl?"

"Roedd Nick yn dwlu ar ferch yn Stavely."

"Oedd hi'n dod yma?"

"Nac oedd. Roedd Nick yn ei hedmygu hi o bell."

"Beth oedd ei henw hi?"

"Wn i ddim."

"Fe aeth Nick ag Arab i Stavely," sylwodd Debra.

"Do. Ffrind o Iraq oedd e. Pan ddaethon nhw'n ôl fe ddechreuodd Nick dalu'r rhent eto."

Roedd Debra'n ysgrifennu popeth yn ei dydd-iadur.

"Oeddech chi'n gwybod bod Nick yn cymryd heroin?" gofynnodd hi.

Siglodd Paul ei ben.

"Nac oeddwn," meddai. "Roedd e'n nerfus iawn am sbel ond . . . "

"Pryd oedd hynny?"

"Ar ôl i'r dyn mawr ddod i'r fflat."

"Y dyn mawr?"

"Ie. Fe ddaeth dyn enfawr un noson. Aeth i mewn i ystafell Nick i siarad â fe. Ddywedodd Nick ddim gair wrtho i am y mater, ond roedd ofn mawr arno fe ar y pryd."

"Ga i weld ystafell Nick, os gwelwch yn dda?"

"Cewch," ebe Paul. "Ond mae hi'n wag. Fe ddaeth Adrian Livermore yma yn union ar ôl marwolaeth Nick. Fe gliriodd e bethau Nick i gyd."

14.

Drannoeth cyrhaeddodd Debra swyddfa Ceri am hanner awr wedi naw yn y bore. Roedd hi wedi ceisio ffonio'r ditectif yn y nos ac yn y bore, ond heb lwyddiant.

Roedd Ceri newydd godi ac roedd ei wyneb yn wyn o hyd.

"Gormod i yfed neithiwr?" gofynnodd y Gymraes yn sych, gan estyn cwpanaid o goffi iddo.

"Nage — Mickey Finn."

"Beth?"

Adroddodd e'r holl stori. Yn ôl Ceri, roedd yr holl fai ar Gigi Lamour. Roedd hi wedi tynnu sylw'r ditectif tra oedd y barman yn paratoi diod "arbennig" iddo.

"Sut dest ti adref?" gofynnodd Debra.

"Dim syniad!"

Ochneidiodd Debra'n ddwfn. Doedd hi ddim yn gallu ei adael ar ei ben ei hun am funud heb iddo lanio mewn trafferth. Dechreuodd hi siarad am ei hymweliad â fflat Nick Luscombe a gwrandawodd Ceri gyda diddordeb.

"Debra," meddai, wrth iddi orffen y stori.

"Ie?"

"Awn ni i weld Mark Stacey. Efallai y bydd e'n gallu ein helpu ni."

Ysgrifennodd e neges ar ddarn o bapur a'i lynu ar ddrws ffrynt y fflat.

"Allan am weddill y bore. Ar ôl cinio, yn y Forester's Arms!"

Doedd Mark Stacey ddim yn edrych yn hapus i'w gweld nhw pan ddaeth ysgrifenyddes â'r ddau ymwelydd i mewn i'w swyddfa.

"Rydw i'n ymchwilio i farwolaeth Nick Luscombe," meddai Ceri. "Ditectif preifat ydw i."

"O . . . Eisteddwch."

"Diolch. Oeddech chi'n nabod Nick Luscombe yn dda?"

"Nac oeddwn." Roedd Mark yn syllu ar y llawr trwy'r amser. Roedd yn amlwg nad oedd e'n dweud y gwir. Bachgen golygus oedd e, fel ei dad, ond roedd ei wyneb yn wan.

"Oedd cariad 'da Nick yn Stavely?"

Cododd Mark ei ben ac edrych ar y ditectif am y tro cyntaf.

"Nac oedd," meddai'n bendant.

"Oeddech chi'n nabod yr Iraqi a aeth i Stavely gyda Nick?"

"Nac oeddwn."

"Ble roeddech chi pan fu farw Nick Luscombe?"

"Yn y tŷ."

"Ble . . . yma, neu yn Stavely?"

"Yn Stavely," atebodd y llanc yn dawel.

"Gwrddoch chi â Nick y noson yna?"

"Naddo."

Agorwyd y drws yn sydyn a daeth Adrian Livermore i mewn fel corwynt.

"Chi eto, Llewelyn?" meddai'n grac.

Aeth heibio i Ceri a chododd y ffôn.

"Hylo, Miss Tate?" meddai. "Gwrandewch. Os na fydd Mr Llewelyn a Miss Craig wedi gadael yr adeilad mewn un funud, galwch yr heddlu!"

15.

Erbyn dau o'r gloch roedd Ceri a Debra yn eistedd wrth gownter y Forester's Arms yn Earls Court. Cyflwynodd Ceri ei ysgrifenyddes i reolwr y dafarn, George, brawd Donna. Doedd George ddim yn dal ond roedd e'n edrych yn gryf ac roedd ei freichiau'n gyhyrog o dan ei groen eboni.

Roedd y ditectif yn yfed dŵr tonig, am fod effaith y Mickey Finn yn dal yn ei system. Gwrandawodd George arno'n ofalus tra aeth yn fanwl trwy stori Nick Luscombe.

"Mae dau ddyn enfawr yn y stori," sylwodd Debra wedi i Ceri orffen.

"Beth?" Doedd y ditectif ddim yn meddwl yn glir eto.

"Y dyn yn y clwb nos, a'r dyn a ddaeth i weld Nick yn ei fflat."

"Rwy'n nabod y dyn yn Patterson's," ebe George. "Vance Mason. Mae e'n gofalu am berchennog y clwb, Mr Legrice."

"Roedd ofn ar Nick Luscombe ar ôl iddo siarad â'r dyn enfawr," meddai Debra. "A doedd dim croeso i ti yn y clwb nos ar ôl iti sôn am Nick Luscombe."

Ceisiodd y ditectif ganolbwyntio ar y ffeithiau.

"Pwy aeth i fflat Nick gyntaf?" gofynnodd e. "Y dyn enfawr neu'r Arab?"

"Wn i ddim," ebe'r ferch. "Ofynnais i ddim."

"Debra, rwyt ti'n anobeithiol," sylwodd Ceri gan sychu ei dalcen â hances.

Cochodd Debra Craig dipyn.

"Ysgrifenyddes ydw i, nid ditectif. Ofynnaist ti ddim am dditectif yn yr hysbyseb."

Llyncodd Ceri Llewelyn ei ddŵr tonig.

"Mae'n ddrwg gen i," meddai. "Mae pen tost 'da fi, dyna'r cwbl. Sut bynnag, mae'n rhaid imi fynd yn ôl i glwb Legrice."

"A fi hefyd," meddai George yn bendant.

Agorodd drws y dafarn a daeth merch i mewn. Edrychodd pawb i fyny.

"Wel, wel," meddai George dan wenu, "Mary Turner."

"Wel, wel," meddyliodd Ceri Llewelyn, "Gigi Lamour!"

16.

"Gaf i gyflwyno Mary ichi," meddai George. "Roedd hi yn yr un dosbarth â Donna yn yr ysgol."

"Ac nawr mae hi'n dawnsio yng nghlwb nos Patterson's," ebe Ceri yn sych. Roedd blas y coctêl yn ei geg o hyd. "Mae'n rhaid imi ddiolch ichi, Gigi."

"Am y reid yn y tacsi? O, doedd hynny ddim yn broblem; roeddech chi'n cysgu fel baban yr holl ffordd. Yr unig broblem oedd eich gosod chi ar y gwely yn eich fflat."

"Beth?" meddai Ceri'n syn. "Chi ddaeth â fi adref?"

"Wrth gwrs. Roeddech chi ar eich penliniau yn y stryd. Roedd rhaid imi wneud rhywbeth, felly fe chwiliais i am eich cyfeiriad yn eich waled."

Erbyn hyn roedd Ceri yn dechrau newid ei farn am Mary "Gigi Lamour" Turner.

"Pwy roddodd y Mickey Finn imi?" gofynnodd.

"Wel, doedd fy nyweddi, Gary Steele, ddim yn gwybod dim byd am hynny. Syniad Mr Legrice oedd e, siŵr o fod. Yn ôl Gary, doedd Legrice ddim yn hoffi eich cwestiynau am y bachgen. Fe benderfynais i ddod i'ch gweld chi i esbonio'r sefyllfa."

"Clwb rhyfedd ydy Patterson's," sylwodd Ceri.

"Ydy'n wir," cyfaddefodd Mary. "Mae Gary yn chwilio am swydd arall, achos mae criw o giangsters yn rheoli'r clwb 'na."

"Mae'n rhaid imi gael gair gyda Mr Legrice," ebe Ceri.

"Ond nid yn y clwb nos," sylwodd George. "Mary, wyt ti'n gwybod ble mae Legrice yn byw?"

"Ydw," meddai'r ferch. "Fe aethon ni i barti yn ei dŷ bythefnos yn ôl."

"Am faint o'r gloch mae e'n gadael y clwb nos?" gofynnodd Ceri.

"Tuag un o'r gloch y bore."

"Ar ei ben ei hun?"

"Nage. Mae Vance Mason yn gyrru'r car."

Edrychodd Ceri ar George. Cododd y dyn du ei ysgwyddau.

"Paid â phoeni, Ceri," meddai. "Mae Vance Mason yn mynd yn hen!"

17.

Am ugain munud wedi hanner nos gyrrodd hen

fan Ford i mewn i *cul-de-sac* tawel ger Hampstead Heath. Roedd y stryd yn llawn ceir Daimler, Mercedes a BMW ac roedd arwydd yn dweud PARCIO PREIFAT.

Gyrrodd Debra heibio i'r arwydd a pharcio'r fan mewn lle gwag o flaen tŷ rhif 23. Doedd Mr Legrice a Vance Mason ddim wedi cyrraedd adref.

Roedd George yn eistedd wrth ochr y ferch, ac roedd Ceri yn gorwedd yng nghefn yr hen fan. Roedd e'n cwyno trwy'r amser am lawr brwnt a seimlyd y Ford.

Am hanner awr wedi un trodd Rolls-Royce gwyn i mewn i'r *cul-de-sac*. Arhosodd y Rolls wrth ochr y fan a daeth dyn enfawr allan. Cerddodd yn gyflym at y fan a churo ar y ffenestr. Agorodd Debra ddrws y Ford.

"Dydy'r ffenestr ddim yn gweithio," meddai, gan wenu'n nerfus.

Chafodd ei gwên ddim effaith ar Vance Mason.

"Symudwch i ffwrdd," dywedodd e'n grac. "Lle Mr Legrice ydy hwn."

"Mae'r fan wedi torri i lawr," esboniodd George.

Edrychodd Vance Mason heibio i Debra ar y dyn du.

"Wel, Sambo!" meddai. "Welais i monot ti yn y tywyllwch."

Chwarddodd George yn uchel.

"Rwyt ti'n ddigri iawn, Mister," dywedodd. "Wyt ti'n gweithio'r clybiau?"

"Ydw, Sambo, ond nid fel comedïwr!"

Daeth George allan o'r fan a mynd i agor y foned. Roedd e'n chwibanu'n hapus trwy'r amser.

39

"Welaist ti erioed y fath beth?" gofynnodd i Mason.

Agorodd drws cefn y Rolls ac ymddangosodd dyn bach tywyll. Cerddodd yn gyflym i gyfeiriad y tŷ, ond gwthiodd Ceri Llewelyn ddrysau cefn y fan a daeth i sefyll ar y ffordd o flaen perchennog y clwb nos.

"Mr Legrice?" meddai.

Ar yr un pryd daeth George â'r foned i lawr ar ddwylo Vance Mason.

"Aaagh . . . !"

Trodd Legrice yn sydyn a cheisio cicio Ceri Llewelyn yn ei fol, ond roedd y ditectif preifat yn rhy gyflym iddo. Gafaelodd ym mraich Legrice a thaflodd e yn erbyn wal y tŷ. Aeth Legrice i lawr ar y palmant gan ddal ei fraich.

"Stop!" erfyniodd. "Oes eisiau arian arnoch chi?"

"Nac oes, Mr Legrice," meddai Ceri'n sych. "Does dim eisiau Mickey Finn arna i chwaith. Ond fe hoffwn i siarad â chi am fachgen o'r enw Nick Luscombe."

Daeth George atyn nhw, gan wthio'r dyn enfawr o'i flaen. Roedd dwylo Vance Mason yn chwyddo'n barod. Fyddai e ddim yn gallu eu defnyddio nhw am wythnos o leiaf.

"O'r gorau," ochneidiodd Legrice. "Awn i mewn i'r tŷ."

18.

Roedd Legrice yn barod i siarad am Nick Lus-

40

combe. Oedd, roedd e wedi gweld Nick yn y clwb; roedd e wedi gweld yr Arab hefyd, ond doedd e ddim wedi siarad â nhw. Ar ôl pum munud roedd Ceri wedi clywed digon.

"Mae'n ddrwg gen i, Mr Legrice," meddai. "Ond dydych chi ddim yn dweud y gwir."

Roedden nhw'n eistedd gyferbyn â'i gilydd, ac roedd Vance Mason a George yn eistedd ar soffa wrth y wal. Roedd Vance yn cwyno'n dawel am y poen yn ei ddwylo, ond doedd neb yn gwrando arno. Doedd Debra ddim wedi dod i mewn. Doedd Ceri ddim eisiau iddi hi orfod cymysgu ym myd Legrice a Vance Mason.

"Gaf i bum munud ar fy mhen fy hun gyda fe?" awgrymodd George gan wenu'n oeraidd.

Aeth wyneb Legrice yn wyn. Fel arfer roedd e'n gallu dibynnu ar ddynion fel Vance, ond nawr . . .

"I be yr ymwelodd Vance â fflat Nick Luscombe?" gofynnodd Ceri'n sydyn. "Pam rhoddodd e gosfa iddo fe?"

"Roddais i ddim cosfa iddo fe," protestiodd Vance. "Fe es i yno i . . . "

"Cau dy geg!" gorchmynnodd Legrice, ond roedd yn rhy hwyr. Roedd Vance wedi dweud digon yn barod.

"Ydych chi eisiau imi alw'r heddlu i mewn, Legrice?" gofynnodd Ceri'n ddymunol.

"Nac ydw," atebodd Legrice mewn llais tawel.

"Wel, ceisiwch eto. Ond cofiwch; dydy fy ffrind ddim yn amyneddgar iawn!"

Taniodd Legrice sigarét. Sylwodd Ceri fod ei ddwylo'n crynu.

41

"Roedd Nick Luscombe yn dod i'r clwb yn aml," meddai. "Roedd e'n siarad â llawer o bobl, a weithiau roedd e'n taro bargen yn y clwb."

"Pa fath o fargen?"

"Gwerthu hen bethau. Roedd Nick yn cynrychioli perchennog siop hen bethau. Dyn o'r enw Coldwall neu . . . "

"Colville?"

"Dyna fe, Arthur Colville. Roedd Nick yn derbyn cyfran o bob gwerthiant."

"Ewch ymlaen."

Sychodd Legrice ei dalcen.

"Wel, un noson fe gafodd Nick fenthyg dwy fil o bunnau gen i."

"I beth?"

"Wn i ddim. Rhyw fenter busnes."

Meddyliodd Ceri Llewelyn am funud.

"Fe roesoch chi ddwy fil o bunnau i *junkie*?" gofynnodd.

"Roedd Nick yn defnyddio cyffuriau o bryd i'w gilydd mewn parti, efallai," meddai Legrice. "Ond doedd e ddim yn *junkie*."

"Dyna sut mae pob *junkie* yn dechrau," sylwodd George yn sych.

"Thalodd Nick mo'r arian yn ôl ar ddiwedd y mis, fel roedd e wedi addo," meddai Legrice. "Felly, fe anfonais i Vance i siarad â fe. Doedd dim problem. Roedd Nick wedi mynd i mewn i fenter busnes gyda ffrind o Iraq. Roedd eisiau mis arall arno fe, dyna'r cwbl."

"Dalodd e'r arian yn ôl?"

"Do, tair mil o bunnau."

"*Tair* mil?"

"Ie. Dyna pam doeddwn i ddim yn hapus i weld ditectif preifat yn gofyn cwestiynau yn y clwb. Does dim byd yn rhad yn Patterson's, Llewelyn!"

"Beth am yr Iraqi?" gofynnodd Ceri.

"Fe ddaeth e i'r clwb gyda Nick i dalu'r arian yn ôl. Roedd y ddau yn hapus iawn. Roedden nhw wedi cael penwythnos llwyddiannus yn y Cots-wolds. Roedd yr Iraqi ar fin hedfan yn ôl i'r Dwyrain Canol."

Drannoeth cododd Ceri am wyth o'r gloch. Roedd e'n mynd i gwrdd â Debra yng ngorsaf fysiau Victoria am hanner awr wedi naw. Bydden nhw'n cymryd y bws i Stavely am chwarter i ddeg.

Roedd llythyr iddo fe yn y post. Agorodd e'r amlen a darllen nodyn byr:

"Dyma'r llun oedd ar ddesg Nick Luscombe. Pob lwc, John Luce."

Edrychodd Ceri ar y llun. Roedd Judith Liver-more yn gwenu ar y camera. Roedd hi'n un ar bymtheg oed yn y llun, efallai, ac roedd hi'n gwisgo dillad ysgol. Roedd y llun wedi ei dynnu mewn parc neu sw. Roedd dwy ferch fach yn eistedd ar y glaswellt wrth ochr Judith. Roedden nhw'n gwisg-o'r un dillad â hi.

Syllodd Ceri ar y llun am funud, yna rhoddodd e yn ei boced. Dyna olwg newydd ar Nick Luscombe, meddyliodd. Roedd yr hen sinig yn cadw llun ei chwaer ar ei ddesg yn Soho. Beth nesaf!

Roedd y Mini Clubman wedi'i barcio o flaen y gwesty, ac roedd Mrs Perkins yn eu disgwyl. Roedd Adelina Luscombe wedi trefnu popeth iddyn nhw fel y tro cyntaf. Edrychodd Debra o gwmpas y sgwâr ond welodd hi mo Peter Stacey. Deallodd Ceri feddyliau'r ferch, ond ddywedodd e ddim gair.

Pan oedden nhw wedi mynd â'r bagiau i fyny'r grisiau, penderfynodd y ditectif ymweld â Mrs Luscombe ar unwaith.

"Does dim rhaid i ti ddod gyda fi, Debra," meddai. "Fe fyddi di'n fwy defnyddiol yma yn agor y bagiau dillad."

Roedd Adelina Luscombe ac Arthur Colville yn yfed coffi yn y lolfa pan gyrhaeddodd Ceri y tŷ.

"Eisteddwch i lawr, Mr Llewelyn," meddai Mrs Luscombe. "Hoffech chi gwpanaid o goffi?"

"Dim diolch." Roedd wyneb Ceri'n ddifrifol. "Mrs Luscombe . . . ?"

"Ie?"

"Oeddech chi'n gwybod bod problemau ariannol 'da Nick?"

Edrychodd y wraig ar Arthur Colville cyn ateb.

"Roedd pum cant o bunnau gyda Nick yn y banc pan fu farw," meddai hi.

"Ond cyn hynny. Cyn i'r Arab ddod i Stavely." Roedd llais Ceri Llewelyn yn galed. "Atebwch fi, Mrs Luscombe. Oeddech chi'n gwybod?"

Cochodd Adelina dipyn.

"Oeddwn," meddai hi'n dawel. "Roedd problemau ariannol 'da Nick trwy'r amser. Roedd fy mab yn gwario arian fel y dŵr. Roedd e'n cael arian gen i a gan ei chwaer; ond un diwrnod fe ddarganfuodd Adrian beth oedd yn digwydd, ac roedd rhaid i Judith roi'r gorau i helpu Nick."

"Pryd oedd hynny?"

"Yn y gwanwyn."

"Beth amdanoch chi?"

Sychodd Mrs Luscombe ei llygaid â hances cyn mynd yn ei blaen.

"Fe ofynnodd Nick am dair mil o bunnau ar gyfer rhyw fenter busnes. Doedd Judith ddim yn gallu helpu, a doedd dim digon o arian 'da fi."

"Yn anffodus, wnaeth Adelina ddim siarad â fi am y mater," ebe Colville yn sydyn. "Neu fe fyddwn i wedi gallu helpu."

"Wel?" gofynnodd Ceri. "Beth ddigwyddodd?"

"Dim byd," meddai Mrs Luscombe. "Chlywais i ddim gair ganddo am rai wythnosau, ond wedyn fe ddaeth â'r Arab i'r hafoty. Roedd Nick yn edrych yn hapus a siaradodd e ddim am arian o gwbl."

Meddyliodd y ditectif am funud.

"Beth wnaethon nhw yn Stavely?" gofynnodd.

"Gweld yr ardal," atebodd Colville. "Roedd yr Arab eisiau gweld popeth. Fe es i â nhw o gwmpas y Cotswolds yn fy nghar."

"Siaradodd Nick â chi am unrhyw broblem, Mr Colville?"

"Naddo, dim o gwbl."

"Roedd e'n gweithio i chi, on'd oedd e?"

"Oedd, o bryd i'w gilydd."

"Oedd e'n ddibynadwy?"

"Oedd, yn bendant."

Cododd Ceri ar ei draed.

"Un peth, Mr Llewelyn," meddai Colville.

"Ie?"

"Judith Livermore sy wedi talu eich cyflog hyd yn hyn. Dydy Adelina ddim yn gyfoethog."

"O . . . " Roedd hynny yn esbonio agwedd Adrian Livermore tuag ato fe.

"Ond os oes eisiau mwy o arian arnoch chi i orffen eich gwaith yn gyflymach, rwy'n fodlon ysgrifennu siec ichi nawr," meddai Colville. "Chi'n gweld, Mr Llewelyn, pan fydd yr holl fusnes 'ma drosodd mae Adelina a fi yn bwriadu priodi."

20.

Tra oedd Ceri yn ymweld â Mrs Luscombe aeth Debra am dro ar hyd y stryd fawr. Arhosodd hi o flaen siop hen bethau Arthur Colville ac edrych trwy'r ffenestr. Roedd Peter Stacey yn sefyll y tu ôl i'r cownter gan atgyweirio hen gloc.

"Peter!"

Chododd e mo'i ben.

"Rwy . . . rwy newydd gyrraedd o Lundain."

"O?"

Arhoson nhw am funud mewn distawrwydd.

"Peter, oes rhywbeth yn bod?"

Rhoddodd e'r cloc ar y cownter.

"Oes," meddai. "Mae pawb sy'n gweithio yn swyddfa fy mab yn credu ei fod e'n rhan o gylch cyffuriau. Dyna beth sy'n bod."

46

Edrychodd Debra ar y llawr.

"Mae'n ddrwg gen i, Peter."

Chwarddodd Peter Stacey yn chwerw.

"Fe weithiodd Mark yn galed iawn i gael y swydd yna," meddai. "Adawa i ddim i Ceri Llewelyn na neb arall ddistrywio enw da fy mab!"

Roedd Debra yn ei hystafell wely pan ddaeth Ceri'n ôl. Roedd hi'n eistedd ar y gwely gan edrych ar lun Judith Livermore a'r ddwy ferch fach. Doedd Debra ddim yn edrych yn hapus.

"Beth sy'n bod?" gofynnodd Ceri. "Wyt ti'n hiraethu ar ôl dy ddyddiau yn yr ysgol?"

"Nac ydw," atebodd y ferch. "Fe gwrddais i â Peter Stacey y prynhawn 'ma. Dydy e ddim yn hoffi dy dactegau, Ceri."

Eisteddodd y ditectif wrth ochr Debra.

"Pa dactegau — yr ymweliad â Mark yn Llundain?"

"Ie."

Rhoddodd Ceri ei fraich o gwmpas ysgwyddau'r ferch.

"Mae Peter yn rhy hen i ti, Debra," meddai. "Does dim synnwyr digrifwch 'da fe!"

21.

Cyrhaeddodd Ceri y Llew Coch am wyth o'r gloch. Doedd e ddim wedi dod â Debra, ond roedd e wedi addo cwrdd â hi yn lolfa'r Maltsters yn Stavely am hanner awr wedi naw.

Roedd ystafell fawr y dafarn bron yn wag. Roedd Hell's Angel yn eistedd ar ei ben ei hun wrth y tân agored. Llanc bach oedd e, ac roedd ei siaced ledr yn rhy fawr iddo. Syllodd Ceri arno ond trodd y llanc ei wyneb at y tân. Aeth y ditectif at y bar a gofyn am beint o gwrw. Siglodd y tafarnwr ei ben.

"Ewch i yfed mewn lle arall," meddai. "Dydw i ddim eisiau trafferth yma."

Petrusodd Ceri am eiliad, yna trodd ei gefn a mynd allan i'r maes parcio. Roedd e'n teimlo'n ddig iawn. Roedd rhaid iddo siarad â'r Hell's Angels a darganfod pam roedden nhw'n cymryd cymaint o ddiddordeb yng nghar Nick Luscombe. Penderfynodd aros yn y maes parcio am sbel. Efallai y byddai Duke a'r lleill yn dod.

Ymhen chwarter awr daeth yr Hell's Angel bach allan o'r dafarn. Thalodd e ddim sylw i'r Mini Clubman yng nghornel y maes parcio. Aeth at y ffôn cyhoeddus a gwneud galwad fer; yna dringodd ar feic modur BMW a chychwyn i gyfeiriad Stavely.

Gostyngodd Ceri Llewelyn ddwy ffenestr flaen y Mini Clubman. Byddai sŵn peiriant y BMW yn ei helpu i ddilyn y llanc heb fynd yn rhy agos. Roedd hi'n dywyll iawn ond gyrrodd Ceri heb y lampau mawr.

Cyn cyrraedd Stavely trodd y BMW i'r chwith a dilyn y ffordd i Banbury. Ar ôl deng milltir gadawodd ffordd Banbury a chymryd y ffordd fawr i gyfeiriad Woodstock. Ond doedd e ddim yn mynd i Woodstock chwaith. Aeth drwy ganol Chipping Norton a throi'n ôl i gyfeiriad Stavely.

Tua phedair milltir y tu allan i Stavely trodd y beic modur i mewn i goedwig drwchus. Gyrrodd Ceri Llewelyn yn ofalus ar hyd y llwybr nes iddo gyrraedd llannerch. Roedd y llanc yn eistedd ar y glaswellt wrth ochr y BMW gan edrych yn bryderus ar y peiriant.

Stopiodd Ceri'r Mini Clubman a dod allan. Yr union foment disgleiriodd dwsin o lampau mawr mewn cylch o'i gwmpas. Gwenodd y llanc yn oeraidd.

"Croeso," meddai. "Croeso i'r *Chapter!*"

22.

Roedd Debra'n teimlo'n gyffrous iawn. Doedd hi ddim wedi gwastraffu'r noson. Roedd hi wedi dilyn hanes y llun roedd Nick Luscombe wedi ei gadw ar ddesg ei swyddfa. Roedd hi wedi dangos y llun i Mrs Perkins, ac roedd Mrs Perkins wedi ei chyfeirio at fwthyn bach yn Station Terrace, Stavely. Bellach roedd Debra'n siŵr bod y llun yn bwysig ym mywyd Nick Luscombe, ac efallai yn ei farwolaeth hefyd.

Aeth hi i mewn i lolfa'r Maltsters ac edrych o gwmpas yr ystafell. Roedd Peter Stacey yn eistedd ar ei ben ei hun wrth y ffenestr. Trodd Debra ei phen i ffwrdd a cherddodd at y bar.

"Debra!"

Cododd Peter ar ei draed a dod ati hi.

"Mae'n ddrwg gen i am y prynhawn 'ma," meddai fe. "Fe ffoniodd Mark heno. Mae e'n iawn. Mae popeth yn iawn yn y swyddfa hefyd. Roedd

Adrian Livermore yn gorliwio yn ôl ei arfer."

"Adrian annwyl," meddyliodd Debra'n chwerw.

Talodd Peter am y Campari a lemonêd ac aethon nhw i eistedd ger y ffenestr.

"Ble mae Ceri Llewelyn?" gofynnodd Peter.

"Yn y Llew Coch," atebodd y ferch. "Ond fe fydd e'n dod yma erbyn hanner awr wedi naw."

"Hanner awr wedi naw?" meddai Peter gan edrych ar ei wats. "Ond, mae hi'n ddeng munud wedi deg yn barod."

"Ydy hi?" Sipiodd Debra ei Campari. Roedd hi'n dechrau anesmwytho. Deallodd Peter ei meddyliau.

"Paid â phoeni," meddai fe. "Fe ffonia i'r Llew Coch."

Ond pan ddaeth e'n ôl roedd ei wyneb yn ddifrifol.

"Mae perchennog y Llew Coch yn credu bod Ceri mewn helynt gyda'r Hell's Angels eto," meddai.

"Beth allwn ni ei wneud?" gofynnodd y ferch yn bryderus.

"Dim byd," atebodd Peter Stacey. "Rwy wedi cysylltu â'r heddlu'n barod."

23.

Caeodd Ceri ddrws y Clubman a cherdded i ganol y llannerch. Doedd e ddim eisiau dangos i'r Hell's Angels bod ofn arno.

Yn sydyn gwelodd e Duke yng ngolau'r lampau

50

mawr. Roedd ei lygaid yn ddu o hyd ac roedd cleisiau ar ei fochau.

"Beth rydych chi'n ei wneud yn Stavely?" gofynnodd Duke mewn llais llym.

"Rydw i'n chwilio am lofrudd Nick Luscombe," meddai Ceri'n dawel.

"Mae'r heddlu'n dweud mai damwain oedd e."

"Nid yr heddlu ydw i."

"Ydych chi'n amau rhywun?"

"Ydw . . . Chi!"

Aeth y grŵp yn ddistaw iawn. Hwtiodd tylluan yn y pellter.

"Fi . . . Pam fi?"

"Achos rydych chi'n dangos gormod o ddiddordeb yn fy ngwaith," ebe Ceri. "Rydych chi'n nerfus, Duke."

Ceisiodd y dyn mawr chwerthin, ond roedd ei wyneb yn ddifrifol.

"Dyma dipyn o gyngor i chi, Llewelyn," meddai. "Gadewch lonydd i ni."

"O'r gorau," atebodd y ditectif. "Ond cyn bo hir fe fydd yr heddlu yn ailagor achos Nick Luscombe. A dydw i ddim yn sôn am yr heddlu lleol. Rwy'n sôn am y C.I.D. Fyddai'n well 'da chi siarad â nhw nag â fi?"

Edrychodd Duke ar aelodau eraill y gang, ond ddywedon nhw ddim byd. Trodd yn ôl at Ceri Llewelyn.

"Dydw i ddim yn gwybod dim am farwolaeth Nick Luscombe," meddai. "Rwy'n gwybod pethau eraill o bwys amdano fe, ond dydw i ddim eisiau trafferth gyda'r heddlu. Alla i ddibynnu arnoch

51

chi?"

"Gallwch, os dwedwch chi'r gwir wrtho i."

Taniodd Duke sigarét.

"Rhai misoedd yn ôl," dywedodd, "cysylltodd Nick Luscombe â fi. Roedd e wedi dod â chyffuriau i Stavely. Roedd e eisiau i ni eu gwerthu yn yr ardal. Ond roedd y stwff 'na yn rhy boeth i ni: heroin, cocáin. Allwch chi ddychmygu beth fyddai'n digwydd petai'r heddlu'n dal un ohonon ni'n cario stwff fel yna?"

"Gallaf. Beth ddigwyddodd?"

"Pan ddaeth Nick i gwrdd â ni, fe gymeron ni'r cyffuriau, ond thalon ni ddim ceiniog iddo fe. Fe losgon ni'r cyffuriau yn y coed. Roedd hynny'n wers i Nick Luscombe!"

Meddyliodd Ceri am funud.

"Beth am yr Arab?" gofynnodd.

"Fe ddaeth yr Arab i Stavely gyda Nick fis yn ddiweddarach. Roedden ni'n credu bod Nick wedi dod â mwy o gyffuriau. Fe wylion ni nhw drwy'r penwythnos, ond ddigwyddodd dim byd. Fe ymwelon nhw â siopau Arthur Colville yma ac mewn pentrefi eraill, ond dydy Colville ddim yn delio mewn cyffuriau."

"Ydych chi'n siŵr?"

"Ydw," meddai Duke yn bendant. "Yna, pan ddaethoch chi i'r Maltsters yng nghar Nick, roeddwn i'n credu mai masnachwr cyffuriau oeddech chi hefyd."

Yn sydyn, daeth car heddlu ar hyd y llwybr â'i olau glas yn fflachio. Stopiodd y car yn y llannerch a daeth ffigur cloff Cwnstabl Miller allan. Roedd e'n edrych yn fach wrth ochr yr Hell's Angel.

"Mae'r parti drosodd, Duke," meddai Miller yn llym. "Bagla hi!"

Cafodd Ceri Llewelyn dipyn o sioc wrth weld yr Hell's Angels i gyd yn dringo ar eu beiciau heb brotestio. Pan oedd sŵn y beiciau wedi diflannu yn y pellter dywedodd Miller:

"Roedd eich ysgrifenyddes yn dechrau poeni amdanoch chi."

Ond roedd Ceri'n meddwl am rywbeth arall.

"Sut roeddech chi'n gwybod fy mod i yma?" gofynnodd.

Doedd wyneb Miller yn dangos dim.

"Plismon da ydw i," meddai. "Dyna sut!"

24.

"Rwy'n dechrau gweld pethau'n gliriach," meddai Ceri wrth ei ysgrifenyddes.

Y tu allan yn y sgwâr roedd cloch y tŵr yn taro canol nos, ond doedd Debra ddim yn teimlo'n flinedig o gwbl.

"Rwyt ti'n gweld, Debra; roedd eisiau arian ar Nick Luscombe. Roedd ei ffordd o fyw yn rhy ddrud i'w boced, ac roedd ei deulu wedi alaru ar roi arian iddo. Penderfynodd gael benthyg dwy fil o bunnau oddi wrth Mr Legrice er mwyn prynu cyffuriau. Doedd dim ffrindiau 'da fe yn Stavely, felly roedd rhaid iddo fe ofyn i'r Hell's Angels werthu'r cyffuriau yn yr ardal. Ond thalon nhw ddim ceiniog iddo fe, ac roedd rhaid iddo ofyn am fwy o amser i dalu'r arian yn ôl i Legrice."

"Sut daeth e o hyd i'r tair mil o bunnau?" gofynnodd Debra.

"Wn i ddim," cyfaddefodd Ceri'n drist. "A dydyn ni ddim yn gwybod dim byd chwaith am noson olaf Nick Luscombe . . . Debra, pam rwyt ti'n gwenu fel 'na?"

Cyfeiriodd y ferch ei bys at y llun ar ei bwrdd gwisgo.

"Fe ddangosais i'r llun i Mrs Perkins heno," meddai. "Mae hi'n nabod y ddwy ferch fach yn iawn."

"Wel?"

"Mae un o'r merched wedi symud i Ganada gyda'i theulu. Ond mae'r llall, Claire Woods, yn byw yn Station Terrace, Stavely. Yn ôl Mrs Perkins, mae Claire wedi bod mewn trafferth gyda'r heddlu o bryd i'w gilydd."

"Pa fath o drafferth?"

"Cyffuriau . . . Fe ymwelais i â'r bwthyn yn Station Terrace. Fe gwrddais i â rhieni Claire. Roedden nhw'n hyfryd. Fe ges i baned o de gyda nhw. Ond doedd Claire ddim gartref. O bryd i'w gilydd mae hi'n mynd i aros mewn gwersyll hipis ger Ystradfellte ym Mhowys. Dyna lle mae hi nawr."

"Pryd aeth hi i ffwrdd?"

"Y dydd ar ôl marwolaeth Nick Luscombe."

Agorodd llygaid Ceri yn eang. Dyna gyddigwyddiad ichi, meddyliodd.

"Ond y noson y bu farw Nick," gofynnodd e, "ble roedd hi?"

Doedd Debra ddim yn gwenu nawr.

"Fe aeth hi allan am y noson gyda Mark Stacey," meddai.

25.

Cychwynnon nhw ar eu taith i Ystradfellte yn syth ar ôl brecwast. Yn ffodus, roedd y tywydd yn heulog. Gwisgodd Ceri ei sbectol dywyll.

"Ydw i'n edrych fel ditectif nawr, Debra?" gofynnodd.

"Mwy fel giangster," chwarddodd ei ysgrifenyddes.

"Pam, oherwydd y sbectol dywyll neu oherwydd bod *moll* 'da fi?"

"Ceri . . . "

Trodd ei ben a gwenu ar y ferch.

"Mae'n ddrwg gen i, Debra. Rwy'n teimlo'n gyffrous iawn. Tybed a fyddwn ni'n cael hyd i'r gwir ym mhentref Ystradfellte?"

"Cadw dy lygaid ar y ffordd," ebe Debra'n llym. "Neu fyddwn ni ddim yn cyrraedd y pentre nesaf!"

Wedi mynd heibio i Aberhonddu dechreuon nhw ddringo trwy Fannau Brycheiniog, lle roedd gwyrdd yr haf yn dechrau troi i felyn a brown yr hydref. Aethon nhw i gyfeiriad Penderyn ond cyn bo hir gwelon nhw arwydd wrth ochr y ffordd:

"Fferm Ynys Ddu (Comiwn Ffrindiau Heddwch) 1m"

Ar ôl milltir, parciodd Ceri y Mini lle roedd ffordd arw yn arwain i fyny trwy'r goedwig dywyll i'r fferm.

"Ceri," meddai Debra'n sydyn. "Gad i fi fynd i siarad â Claire Woods."

"Pam ti?"

"Oherwydd mai fi a siaradodd â rhieni Claire yn Stavely," esboniodd Debra. "Rwy'n gallu dweud fy mod i'n galw yma ar ran ei rhieni ar fy ffordd adref i Abertawe."

Meddyliodd y ditectif am funud.

"Iawn," cytunodd. "Ond bydd yn ofalus."

"Paid â phoeni," meddai hi dan wenu. "Cofia mai ffrindiau heddwch ydyn nhw."

Aeth y ffordd trwy'r coed ymlaen ac ymlaen. Pan gyrhaeddodd Debra fuarth y fferm gwelodd hi'r ffermdy a chaban bach y tu ôl iddo. Roedd drws y caban ar gau ac roedd grid ar y ffenestr. Aeth hi at ddrws y ffermdy. Roedd e ar agor.

"Hylo," gwaeddodd hi. "Oes rhywun i mewn?"

"Oes. Dewch i mewn," gorchmynnodd llais dwfn.

Aeth hi i mewn i ystafell fawr. Roedd dyn tua deugain oed yn eistedd mewn cadair olwyn yng nghanol yr ystafell. Roedd barf ddu ganddo ac roedd llinellau dwfn ar ei dalcen. Roedd e'n gwisgo cafftan llwyd a jîns glas brwnt.

"Heddwch," meddai fe.

"Hylo . . . y . . . heddwch."

Allai Debra ddim peidio â syllu ar y reiffl ar benliniau'r hipi. Roedd un llaw yn dal y reiffl ac roedd y llall yn dal sigarét drwchus. Sylwodd Debra fod arogl chwerw yn yr ystafell.

"Wyt ti'n smygu?" gofynnodd y dyn gan estyn y sigarét iddi.

"Dim diolch," atebodd Debra'n gyflym.

"Mae'r stwff 'ma'n dda."

"O, rwy'n siŵr; ond dydw i ddim yn smygu o gwbl."

Syllodd y dyn arni.

"Wyt ti wedi dod i ymuno â ni?" gofynnodd.

"Nac ydw," meddai Debra. "Gyda llaw, ble mae'r lleill?"

"Y lleill . . . " Roedd yr hipi'n gwneud ymdrech i gofio. "Maen nhw ym Merthyr. Fe fyddan nhw'n ôl ar ôl i'r tafarnau gau."

"Claire Woods hefyd?"

Tynnodd y dyn yn ddwfn ar ei sigarét cyn ateb.

"Does neb o'r enw Claire yma."

"O. Dywedodd ei rhieni . . . "

"Does neb o'r enw Claire Woods yma." Roedd llais y dyn yn grac, a dechreuodd Debra deimlo'n nerfus.

"Mae'n rhaid imi fynd," meddai'n dawel. "Mae rhywun yn aros amdana i."

Atebodd y dyn ddim gair. Roedd e'n dal i syllu ar ei sigarét pan aeth y ferch allan i'r buarth.

Yn sydyn gwelodd hi rywbeth yn symud y tu ôl i grid ffenestr y caban. Wyneb merch oedd e? Doedd hi ddim yn siŵr, ond roedd hi'n ofni'r hipi gyda'r reiffl. Brysiodd i lawr y ffordd i'r man lle roedd Ceri'n disgwyl amdani hi.

26.

Gwrandawodd Ceri ar stori Debra gyda diddordeb.

"Felly, rwyt ti'n credu bod Claire Woods yn

57

garcharor yn y caban," meddai.

"Wel, mae'n bosibl," ebe'r ferch.

Taflodd Ceri garreg i'r nant oedd yn llifo trwy'r fferm ac o dan y ffordd.

"Ydy," cytunodd. "Mae'n bosibl. Ond dydw i ddim yn hapus am y dyn gyda'r reiffl. Arhosa i tan y nos cyn mynd i weld beth sy'n digwydd."

Gwelodd Ceri olau yn ffenestr y ffermdy, ond roedd y caban mewn tywyllwch. Aeth e at ddrws y caban. Doedd dim clo, ond roedd bar haearn yn rhwystro'r drws rhag cael ei agor o'r tu mewn. Tynnodd y ditectif y bar i ffwrdd a'i roi yn ofalus ar y ddaear feddal.

Roedd gwellt ar hyd llawr y caban. Edrychodd Ceri o'i gwmpas. Roedd ychydig o olau yn dod i mewn trwy'r ffenestr ac roedd e'n gallu gweld ffigwr yn gorwedd ar ganol y llawr.

"Claire?"

Symudodd y ffigwr ychydig.

"Pwy sy yno?" Roedd llais y ferch yn flinedig.

"Ceri."

"Ceri . . . Wyt ti'n newydd yma?"

"Ydw. Newydd sbon."

"Dere 'ma. Rwyt ti'n swnio'n neis."

Aeth Ceri ar ei benliniau wrth ochr y ferch.

"Sut rwyt ti'n teimlo?" gofynnodd e.

"Fi? O, rwy'n hedfan," atebodd hi. Yn sydyn dechreuodd hi weiddi fel baban: "Yi, yi, yi, yi, yi!"

"Sh . . . "

"Yi, yi, yi, yi, yi!"

Dechreuodd chwys redeg i lawr wyneb Ceri.

"Claire . . . !"

Tawelodd y ferch. Roedd rhywun y tu allan ar y buarth.

"Pwy sy gyda ti, Claire?" gofynnodd y llais.

Dechreuodd y ferch grynu, a rhoddodd Ceri ei fraich am ei hysgwyddau.

"Rwyt ti'n werthfawr i ni, Claire," meddai'r llais. "Dere allan ar unwaith neu fe fydda i'n saethu."

Torrodd bwled ffenestr y caban a daeth cawod o wydr i lawr ar bennau Ceri a'r ferch. Dechreuodd Claire wylo yn dawel.

"Beth sy, aderyn bach?" meddai Ceri wrthi. "Wyt ti wedi colli dy esgyll?"

Pan glywodd Debra yr ergyd taniodd hi beiriant y Mini Clubman. Roedd hi wedi bod yn disgwyl rhywbeth o'r fath. Doedd Ceri Llewelyn ddim yn gallu gwneud dim byd heb helynt.

Gyrrodd hi i fyny'r ffordd tua'r ffermdy. Wrth iddi gyrraedd y buarth cyneuodd lampau mawr y car. Gwelodd hi'r hipi'n eistedd yn ei gadair olwyn ac yn pwyntio'r reiffl at y caban. Trodd y dyn ei ben ond roedd hi'n rhy gyflym iddo. Gyrrodd hi'r Mini yn syth ato o'r tu ôl a dechreuodd wthio'r gadair olwyn i gyfeiriad y nant.

"Aaaaa . . . "

Diflannodd yr hipi a'r gadair olwyn o'r golwg i lawr y llethr a stopiodd Debra y car. Ar yr un eiliad ymddangosodd Ceri yn nrws y caban gan gario'r ferch yn ei freichiau.

Ymhen chwarter awr roedd Debra'n gyrru ar hyd y ffordd fawr tuag Aberhonddu. Roedd Ceri yn eistedd yng nghefn y car gyda Claire Woods. Roedd hi'n gwisgo siaced y ditectif ac roedd hi'n syllu ar ei wyneb.

"Rwyt ti'n neis," meddai hi.

"Ydw," cytunodd Ceri. "Claire, oeddet ti'n gwybod bod Nick Luscombe wedi marw?"

Aeth cwmwl ar draws wyneb y ferch.

"Oeddwn," meddai hi. "Roeddwn i yn yr hafoty pan ddigwyddodd e."

27.

Yn ôl yn ei hystafell yng ngwesty Mrs Perkins edrychodd Debra ar ei wats: tri o'r gloch yn y prynhawn. Y tu allan ar y sgwâr roedd hi'n pigo bwrw.

Roedd hi ar ei phen ei hun. Roedd Ceri wedi mynd â Claire Woods yn syth i glinig yn Llundain. Doedd y ferch ddim yn iach o gwbl. Roedd eisiau help arni hi. Roedd Ceri wedi ffonio George o Aberhonddu, ac roedd George wedi addo trefnu popeth.

Edrychodd Debra ar y llyfr wrth ochr y gwely, *Sieges of the Great Civil War*. Siglodd ei phen. Roedd hi eisiau byw yn y presennol, nid yn y gorffennol. Ond roedd Peter Stacey yn gweithio, ac roedd y tywydd yn rhy wael iddi fynd allan.

"Debra!"

"Ie, Mrs Perkins?"

"Ffôn."

Rhedodd Debra i lawr y grisiau.

"Hylo?"

"Prynhawn da, Miss Craig. Adelina Luscombe sy'n siarad. Hoffech chi ddod i barti sieri heno?"

"Hoffwn . . . ond dydy Cer . . ."

"Reit, saith o'r gloch." Roedd Mrs Luscombe wedi rhoi'r ffôn i lawr. Aeth Debra'n ôl i'w hystafell.

"Debra. Ffôn!"

Y tro yma Peter Stacey oedd ar y lein. Curodd calon y ferch dipyn yn gyflymach.

"Hylo, Debra. Sut wyt ti? Gwranda. Rwy newydd gael gwahoddiad i barti sieri yn nhŷ Mrs Luscombe. Dydw i ddim eisiau mynd ar fy mhen fy hun. Hoffet ti ddod gyda fi . . . ?"

Pan aeth Debra'n ôl i'w hystafell roedd hi'n teimlo'n llawer hapusach. Roedd hi'n dal i fwrw glaw y tu allan, ond doedd dim ots ganddi hi. Roedd noson hyfryd o'i blaen hi. Eisteddodd mewn cadair freichiau wrth y ffenestr, agorodd y llyfr am y Rhyfel Cartref a dechreuodd ddarllen.

28.

Cyrhaeddodd Debra a Peter dŷ Mrs Luscombe am bum munud wedi saith. Aeth y forwyn â nhw i'r lolfa, lle ymunon nhw â Mrs Luscombe, Judith ac Adrian Livermore, Arthur Colville, Mark Stacey a Chwnstabl Miller. Edrychodd Peter ar ei fab yn syn. Fel arfer roedd Mark yn aros yn Llundain trwy'r wythnos.

Daeth Adelina Luscombe atyn nhw.

"Sieri melys, sych, neu ganolig?" gofynnodd hi.

61

Dewison nhw'r sieri canolig ac aeth Adelina yn ôl i ganol yr ystafell. Gwenodd Peter yn nerfus.

"Does dim llawer o awyrgylch yma," meddai'n dawel wrth Debra.

A dweud y gwir, roedd pawb yn eistedd mewn distawrwydd. Ond roedd Mark Stacey wedi codi a mynd at y ffenestr heb edrych ar ei dad.

Am ugain munud i wyth canodd cloch y drws ffrynt. Edrychodd Adelina ar ei wats.

"Mae Mr Llewelyn wedi cyrraedd," meddai. "Fe a ofynnodd imi drefnu'r noson 'ma. Mae e eisiau siarad â chi i gyd."

Daeth y ditectif i mewn i'r lolfa. Roedd e ar ei ben ei hun. Roedd e wedi gadael Claire Woods yn Llundain dan ofal y clinig a George.

"Sieri, Mr Llewelyn?"

Siglodd Ceri ei ben. Roedd ei wyneb yn flinedig. Doedd e ddim wedi cysgu ers diwrnod a hanner. Trodd Adelina Luscombe at ei merch.

"Judith," meddai. "Mae'n well i ni adael yr ystafell."

Petrusodd Judith am eiliad. Yna cododd ar ei thraed a dilyn ei mam allan o'r lolfa. Trodd Ceri Llewelyn at y lleill.

"Mae'n rhaid inni ailagor achos Nick Luscombe," meddai.

"*Does* dim achos," protestiodd Adrian Livermore. "Rydych chi'n cymryd ein harian i ddim rheswm!"

"Yn y dechrau roeddwn ni'n meddwl fel chi, Adrian. Ond pan ddechreuais i ofyn cwestiynau doedd neb yn rhoi atebion clir. Ac roedd rhai, fel chi, yn ceisio fy rhwystro i!"

"Oherwydd yr arian," ebe Adrian.

"Rwy'n deall hynny nawr. Eich gwraig oedd yn talu'r bil. A doeddech chi ddim eisiau i bobl wybod bod Nick yn gwerthu cyffuriau."

"Doeddwn i ddim yn siŵr bod . . ."

"Nac oeddech; ond roeddech chi'n amau rhyw-beth o'r fath. Dyna pam aethoch chi i fflat Nick yn Llundain a chlirio ei bethau allan. Ond dydw i ddim eisiau siarad am fywyd Nick Luscombe. Dihiryn oedd e. Ond mae cyfrinach ynghylch ei farwolaeth." Edrychodd o gwmpas yr ystafell. "Oedd Nick ar ei ben ei hun pan fu farw?"

"Oedd," meddai Cwnstabl Miller yn eironig. "Mae cofnodion yr heddlu yn profi hynny."

Gwenodd Ceri yn wan.

"Doeddech chi ddim yn hoffi Nick Luscombe," meddai. "Dyna pam chymeroch chi ddim diddor-deb yn ei farwolaeth. Ond roedd dau berson gyda fe yn yr hafoty; dau o leiaf. Galla i brofi hynny!"

Aeth pawb yn ddistaw. Croesodd Ceri i'r lle roedd Mark Stacey yn sefyll.

"Roeddech chi yn yr hafoty y noson honno, Mark — a Claire Woods hefyd."

Aeth wyneb Mark yn wyn.

"Mae Claire wedi drysu," meddai.

"Ydy. Ond roedd Nick wedi syrthio mewn cariad â hi flynyddoedd maith yn ôl. Roedd e'n cadw ei llun ar ei ddesg yn Soho. Ond roedd Claire yn eich ffansïo chi. Y noson honno fe aethoch chi â Claire i'r hafoty. Roedd Nick wedi addo rhoi heroin i chi'ch dau. Ond ar ôl cymryd yr heroin fe ddech-reuoch chi ffraeo dros Claire. Fe golloch chi eich tymer a fe dafloch chi Nick i lawr y grisiau."

"Naddo . . . Naddo!" Roedd dagrau yn llygaid Mark. "Claire ddywedodd hynny?"

"Nage. Dydy Claire ddim yn cofio cymaint â hynny am y noson. Ond dyna beth fydd yr heddlu yn ei feddwl."

"Mr Llewelyn!"

Trodd Ceri i wynebu Arthur Colville.

"Ie?"

"Does dim cyfrinach am farwolaeth Nick. Fe welais i e'n cwympo i lawr y grisiau!"

29.

Edrychodd Debra ar Peter Stacey. Roedd llinellau dwfn ar ei dalcen ac roedd e'n edrych yn hen, fel petai'r newyddion am ei fab wedi bod yn ergyd iddo.

"Rwy'n gallu esbonio popeth," meddai Arthur Colville. "Dydy'r ffeithiau ddim yn ddymunol, ond mae'n hen bryd imi siarad."

Sipiodd ei sieri cyn dechrau; roedd ei wefusau'n sych.

"Doeddwn i ddim yn gwybod am broblemau ariannol Nick," meddai. "Roedd e wedi colli arian mewn rhyw fenter busnes, ond ddywedodd e ddim gair wrtho i."

Naddo, meddyliodd Ceri; doedd Nick ddim eisiau siarad â neb am ei helynt gyda'r Hell's Angels.

"Fe ddaeth Nick ag Arab ifanc i Stavely," ebe

Colville. "Dywedodd fod yr Arab yn gyfoethog iawn a bod arno fe eisiau prynu hen bethau a mynd â nhw yn ôl i Iraq. Fe es i â'r Arab o gwmpas fy siopau i gyd. Fe archebodd e lawer o bethau — gwerth hanner can mil o bunnau."

Chwarddodd Colville yn chwerw.

"Wrth gwrs, roedd rhaid imi dalu deg y cant o'r hanner can mil i Nick, oedd wedi trefnu'r peth. Roedd gen i ffydd yn Nick; fe dalais i'r arian iddo fe ar unwaith. Ond roedd siec yr Arab yn ddi-werth. Roedden nhw wedi cynllwynio i'm twyllo."

Gwagiodd e ei wydryn. Roedd chwys yn llifo i lawr ei fochau.

"Pan gafodd y siec ei gwrthod gan y banc fe geisiais i gysylltu â Nick, ond heb lwyddiant. Doeddwn i ddim yn gallu trafod y mater gydag Adelina. Felly, pan ddysgais i fod Nick wedi dod adref am y penwythnos, fe yrrais i i'r hafoty tua hanner nos. Yn ffodus roedd y glwyd y tu ôl i'r hafoty ar agor, a drws yr hafoty hefyd. Fe es i i mewn a gweiddi enw Nick. Roedd e lan lofft. Fe ddaeth e i ben y grisiau a cheisio dod i lawr ond roedd e dan ddylanwad yr heroin. Cwympodd. Doedd dim siawns 'da fe."

Meddyliodd Ceri am y stori.

"A phan ddysgoch chi fod Mark a Claire wedi cymryd heroin hefyd fe benderfynoch chi guddio olion y noson i gyd. Hefyd, fe roesoch chi arian i Claire i'w helpu hi i ddiflannu am sbel."

"Do." Sychodd Colville ei wyneb â hances.

Cofiodd Ceri eiriau'r hipi: *Rwyt ti'n werthfawr i ni, Claire.* Felly roedd Colville yn barod i dalu mwy fyth o arian er mwyn cadw Claire Woods allan o Stavely. Ond pam — oherwydd bachgen di-werth oedd wedi cwympo i lawr y grisiau? Siglodd y ditectif ei ben.

"Sut dringoch chi'r wal, Mr Colville?"gofynnodd.

"Beth?"

"Dydych chi ddim yn ifanc, ond roedd rhaid ichi ddringo'r wal ar ôl ichi roi'r allweddi ym mhoced Nick Luscombe. Ac roeddech chi'n lwcus iawn i ddod o hyd i glwyd agored a drws agored tra oedd parti cyffuriau yn mynd ymlaen y tu mewn! Na, dydw i ddim yn hoffi eich stori o gwbl."

Edrychodd Colville ar y llawr. Roedd y gwydryn yn ei law yn crynu. Yna cododd Peter Stacey ar ei draed.

"Diolch, Arthur," meddai'n dawel. "Ond mae'n rhaid i fi orffen y stori."

Rhoddodd Debra ei gwydryn i lawr. Doedd hi ddim yn deall beth oedd yn digwydd.

"Fe ofynnodd Arthur i fi fynd gyda fe i weld Nick," meddai Peter. "Pan gyrhaeddon ni'r hafoty roedd y glwyd ar gau; roedd yn rhaid i fi ddringo'r wal. Roedd y drws ar gau hefyd. Fe gurais i sawl gwaith ond ches i ddim ateb. Ond roeddwn i'n gwybod am yr allwedd sbâr achos roedd Mark wedi siarad â fi am yr hafoty. Roedd miwsig lan lofft. Pan gyrhaeddais i'r ystafell wely fe welais i Mark a Claire. Roedden nhw fel *zombies* yn barod. Ond roedd Nick yn meddwl yn glir. Dechreuodd chwerthin am fy mhen. Dywedodd y byddai'n dinistrio gyrfa Mark oherwydd bod Claire yn caru Mark. Gwthiodd e fi allan o'r ystafell wely. Roedd e'n

66

gweiddi fel gwallgofddyn. Yn sydyn fe gollais i fy nhymer a'i daro'n galed. Fe gwympodd i lawr y grisiau. Rydych chi'n gwybod gweddill y stori."

Trodd at ei fab a gwenu'n drist. Ond roedd e'n edrych yn well. Roedd y llinellau wedi diflannu o'i dalcen.

Roedd meddwl Debra yn rhedeg yn wyllt. Doedd dim bai ar Peter. Damwain oedd e. Roedd Nick Luscombe wedi achosi ei farwolaeth ei hun.

Aeth Ceri draw at y bwrdd ac arllwys gwydraid o sieri. Doedd e ddim yn meddwl am Peter Stacey. Doedd e ddim yn meddwl am Debra. Roedd e'n meddwl am ferch ddwy ar bymtheg oed mewn ysbyty yn Llundain, ac roedd y sieri yn chwerw ar ei wefusau.

GEIRFA *VOCABULARY*

Aberhonddu *Brecon*
Abertawe *Swansea*
ac ati *and so on*
achos *because; case*
achosi *to cause*
adeilad *building*
aderyn (adar) *bird*
adref *(to) home*
adrodd *to recite, report*
addo *to promise*
aelod (-au) *member*
aeth, aethon *went*
agor *to open;* ar agor *open*
agored *open*
agos *near, close*
agwedd *attitude*
anghofio *to forget*
ail *second*
ailagor *to reopen*
alaru ar *to be sick of*
allan *out*
allwedd (-i) *key*
amatur *amateur*
amau *to suspect*
amheus *doubtful, suspicious*
yn aml *often*
amlen (-ni) *envelope*
amlwg *obvious*
amryliw *multicoloured*
amser *time;* trwy'r amser *all the time*
amyneddgar *patient*
anadlu *to breathe*
anesmwytho *to become uneasy*
anfodlon *unwilling*
anfon *to send*
anffodus *unfortunate*
anhygoel *incredible*
annaturiol *unnatural*
annwyl *dear*
anobeithiol *hopeless*
ar fin *on the point of*
araf *slow*
arall (eraill) *other*
arbennig *special*
archebu *to order*
ardal *district*
arfer *custom, practice; used to do something;* fel arfer *as a rule*

arholiad (-au) *exam*
arian *money*
ariannol *financial*
arllwys *to pour*
arogl *smell*
aros *to wait; to stay; to stop*
arwain *to lead*
arwydd (-ion) *sign*
astudio *to study*
ateb *to answer*
ateb (-ion) *answer*
atgyweirio *to repair*
awgrymu *to suggest*
awn ni *let's go; we'll go*
awr *hour*
awyddus *eager*
awyr *air; sky*
awyrgylch *atmosphere*

baban *baby*
bach *little*
bachgen (bechgyn) *boy*
bag (-iau) *bag;* bagiau *luggage;* bag dillad *suitcase;* bag llaw *handbag*
bagla hi! *beat it!*
bai *blame*
balch *glad*
Bannau Brycheiniog *Brecon Beacons*
barf *beard*
bargen *bargain, deal;* taro bargen *make a deal*
barn *opinion*
basn *basin;* basn ymolchi *washbasin*
beic (-iau) *bike;* beic modur *motorbike*
bellach *by now*
benthyg *loan;* cael benthyg *to borrow*
ber *gweler* byr
beth sy'n bod? *what's the matter?*
bil (-iau) *bill*
blaen *front;* o flaen *in front of;* o'r blaen *before*
blanced *blanket*
blas *taste*
blasu *to taste*
blêr *untidy*
blinedig *tired*
blodyn (blodau) *flower;* pot blodau *flowerpot*

blows *blouse*
blwyddyn (blynedd, blynyddoedd) *year*
boch (-au) *cheek*
bodlon *content, willing*
bol *belly*
bore *morning*
botwm *button*
braich (breichiau) *arm*
brawd *brother*
brecwast *breakfast*
brenhinol *royal*
bron *almost*
brwnt *dirty*
brwydr *battle*
brysio *to hurry*
buarth *(farm)yard*
busnes *business*
bwled (-i) *bullet*
bwrdd *table;* bwrdd gwisgo *dressing table*
bwriadu *to intend*
bwrw, bwrw glaw *to rain*
bws (bysiau) *bus*
bwthyn (bythynnod) *cottage*
bwyta *to eat*
byd *world;* dim byd *nothing at all*
byddin *army*
byr, ber *short*
byrhau *to get shorter*
bys (-edd) *finger*
byth *ever;* mwy fyth *even more*
byw *to live*
bywyd *life*

caban *cabin;* caban ffôn *telephone kiosk*
cadair *chair;* cadair freichiau *armchair;* cadair olwyn *wheelchair*
cadarn *strong, solid*
cadw *to keep*
cae (-au) *field*
cael *to have, to get*
Caerloyw *Gloucester*
caled *hard*
calon *heart*
camgymeriad *mistake*
can, cant *hundred;* deg y cant *ten per cent;* hanner cant *fifty*
canol *middle;* canol dydd *midday;* canol nos *midnight*
canolbwyntio *to concentrate*
canolig *medium*

canu *to sing; to ring (phone, bell)*
car (ceir) *car*
carcharor *prisoner*
cariad *love; girlfriend, boyfriend*
cario *to carry*
carped *carpet*
carreg (cerrig) *stone*
cartref *home*
caru *to love*
casáu *to hate*
cau *to shut;* ar gau *closed*
cawod *shower*
cefn *back*
ceg *mouth*
cegin *kitchen*
ceiniog *penny*
ceisio *to try*
cerdyn *card*
cerdded *to walk*
cicio *to kick*
cinio *dinner*
cipolwg *glimpse*
clais (cleisiau) *bruise*
clep *bang;* rhoi clep i'r drws *to slam the door*
clinig *clinic*
clir *clear*
clirio *to clear*
clo *lock;* ar glo *locked*
cloc *clock*
cloch (clychau) *bell;* o'r gloch *o'clock*
cloff *lame*
cloi *to lock*
clustog *cushion*
clwb (clybiau) *club;* clwb nos *nightclub*
clwyd *gate*
clywed *to hear*
coch *red*
cochi *to blush*
codi *to rise, raise, get up;* codi ar ei draed *to stand up*
coeden *tree;* coed *trees, wood*
coedwig *wood*
cofio *to remember*
cofnodion *records*
coffi *coffee*
coleg *college*
colli *to lose*
comedïwr *comedian*
côr *choir*
corff *body*
cornel (-i) *corner*

70

corwynt *whirlwind*
cosfa *beating-up*
costus *expensive*
cownter *counter*
crac *angry*
crafu *to scratch*
credu *to believe*
cribo *to comb*
criw *crew, gang*
croen *skin*
croesi *to cross*
croeso *welcome*
crwner *coroner*
cryf *strong*
crynu *to tremble*
crys *shirt*
cuddio *to hide*
cul *narrow*
curo *to beat, knock*
cusanu *to kiss*
cwbl *all;* o gwbl *at all*
cwestiwn (cwestiynau) *question*
cwmni *company*
o gwmpas *around*
cwmwl (cymylau) *cloud*
cwpan *cup*
cwpanaid *cup(ful)*
cwrdd *to meet*
cwrw *beer*
cwsmer (-iaid) *customer*
cwympo *to fall*
cwyno *to complain*
cychwyn *to start, set off*
cyd-ddigwyddiad *coincidence*
cyfaddef *to admit*
cyfeiriad *address; direction*
cyfeirio *to point; to direct*
cyflog *wage, salary*
cyflwyno *to introduce*
cyflym *quick*
cyfoethog *rich*
cyfran *proportion*
cyfrifol *responsible*
cyfrinach (-au) *secret*
cyfrwys *cunning*
cyffredin *common*
cyffrous *excited, exciting*
cyffur (-iau) *drug*
cyngor *advice*
cyhoeddi *to announce*
cyhoeddus *public*
cyhyrog *muscular*

cylch *circle, ring*
cymaint *so much, as much*
cymeriad (-au) *character*
Cymraes *Welshwoman*
Cymro *Welshman*
Cymru *Wales*
cymryd *to take*
cymysgu *to mix*
cyn *before;* cyn hir, cyn bo hir *before long*
cynllwynio *to conspire*
cynnau *to light*
cynnig *to offer*
cynrychioli *to represent*
cyntaf *first*
cyrraedd *to arrive (at)*
cysgu *to sleep*
cysylltu (â) *to contact*
cytuno (â) *to agree with*

a chanddi *with*
chwaer *sister*
chwaith *either*
chwarddodd *laughed*
chwarter *quarter*
chwe, chwech *six*
chwerthin (am ben) *to laugh (at)*
chwerw *bitter*
chwibanu *to whistle*
chwilio (am) *to search (for)*
chwith *left*
chwyddo *to swell*
chwys *sweat*

da *good;* yn dda *well;* mae'n dda gen i *I'm glad to*
daear *earth*
daeth, daethon *came*
dagrau *tears*
dal *to hold; to catch;* dal i *to still be*
damwain *accident*
dan, o dan *under*
dangos *to show*
dant (danedd) *tooth*
darganfod *to discover*
darllen *to read*
darn (-au) *piece*
dathlu *to celebrate*
dau, dwy *two*
dawns *dance*
dawnsio *to dance*
deall *to understand*

71

dechrau *beginning; to start*
defnyddio *to use*
defnyddiol *useful*
deg, deng *ten;* deg ar hugain *thirty*
delio (â) *to deal (with)*
derbyn *to accept; to receive*
derbynnydd *receiver*
dere *come;* des *I came;* dest *you came*
desg *desk*
deugain *forty*
dewch *come*
dewis *to choose*
dianc *to escape*
dibynadwy *reliable*
dibynnu *to depend*
diddordeb *interest*
diddorol *interesting*
difetha *to spoil*
diflannu *to disappear*
difrifol *serious*
diffodd *to extinguish, put out*
dig *angry*
digon *enough; plenty*
digri *funny*
digrifwch *humour*
digwydd *to happen*
dihiryn *villain*
dilyn *to follow*
dillad *clothes*
dinistrio *to destroy*
diod *drink*
diogel *safe*
diolch *thanks; to thank*
dirywio *to decline, deteriorate*
disgleirio *to shine*
disgwyl *to expect*
distaw *silent*
distawrwydd *silence*
distewi *to become silent*
distrywio *to destroy*
ditectif *detective*
diwaelod *bottomless*
diwedd *end;* o'r diwedd *at last*
diweddar *recent;* diweddarach *later*
di-werth *worthless*
diwethaf *last, latest*
diwrnod (-au) *day*
dod *to come;* dod â *to bring;* dod o
  hyd i *to find*
dodrefn *furniture*
dosbarth *class*
draw *over, across*

dringo *to climb*
drosodd *over*
drud *expensive*
drwg *bad;* mae'n ddrwg gen i *I'm
  sorry*
drwm *drum*
drws (drysau) *door*
drych *mirror*
drysu *to confuse*
du *black*
dweud *to say, tell*
dwfn *deep*
dwlu ar *to be mad about*
dŵr *water*
dwsin *dozen*
dwy *gweler* dau
dwylo *hands*
dwyrain *east;* Dwyrain Canol *Middle
  East*
dwywaith *twice*
dychmygu *to imagine*
dydd (-iau) *day*
dyddiadur *diary*
dyfal *persistent*
dylanwad *influence*
dymunol *pleasant*
dyn (-ion) *man;* dyn busnes
  businessman
dysgu *to learn; to teach*
dyweddi *fiancée*

ddoe *yesterday*

eang *wide*
ebe *said*
edmygu *to admire*
edrych *to look*
efallai *perhaps*
effaith *effect*
eiliad *second, moment*
eironig *ironic*
eisiau *want*
eistedd *to sit*
eitha *quite*
enfawr *huge*
ennill *to win; to earn*
enw *name*
yn enwedig *especially*
er gwaethaf *despite*
er mwyn *in order to*
erbyn *by (time);* erbyn hyn *by now;* yn
  erbyn *against*

72

erfyn *to plead*
ergyd *blow, shot*
erioed *ever, never*
ers *since*
esbonio *to explain*
esgyll *wings*
estyn *to reach; to pass*
etifeddu *to inherit*
eto *yet; again*

faint? *how much?* faint yw oed? *how old is?* am faint o'r gloch? *at what time?*
fan *van*
fel *like;* fel petai, fel petasen *as if*
felly *so, therefore*
i fyny *up*

ffaith (ffeithiau) *fact*
ffansïo *to fancy*
ffenestr (-i) *window*
fferm *farm*
ffermdy *farmhouse*
ffigur, ffigwr *figure*
fflachio *to flash*
ffodus *fortunate*
ffôn *phone*
ffonio *to phone*
ffordd *way, road;* ffordd fawr *main road*
ffraeo *to quarrel*
Ffrangeg *French*
Ffrainc *France*
ffrind (-iau) *friend*
ffrynt *front*
i ffwrdd *away*
ffydd *faith*

gadael *to leave; to let;* gad i fi *let me;* gadawodd *left*
gaf i? *may I?*
gair (geiriau) *word*
galw *to call*
galwad *call*
gallu *to be able to, can*
gardd *garden*
gartref *at home*
garw *rough*
gên *chin*
geni *to be born*
ger *near*
gerllaw *nearby*

gilydd; ei gilydd *each other*
glân *clean*
glanhau *to clean*
glanio *to land*
glas *blue*
glaswellt *grass*
glaw *rain*
glynu *to stick*
gofal *care*
gofalu am *to look after*
gofalus *careful*
gofyn *to ask*
golau (goleuadau) *light*
golchi *to wash*
golwg *view;* o'r golwg *out of sight*
golygus *handsome*
gorau *best;* o'r gorau *all right;* rhoi'r gorau i *to give up*
gorchymyn *order; to order*
gorfod *to have to*
gorffen *to finish*
y gorffennol *the past*
gorffwys *to rest*
gorliwio *to exaggerate*
gormod *too much*
gorsaf *station*
gorwedd *to lie*
gosod *to place*
gostwng *to lower*
gris (-iau) *step, stair*
grŵp *group*
gwaed *blood*
gwaeddodd *shouted*
gwael *bad*
gwag *empty*
gwagio *to empty*
gwahoddiad *invitation*
gwaith *work; time;* gwaith cartref *homework*
gwallgofddyn *madman*
gwallt *hair*
gwan *weak*
gwanwyn *spring*
gwario *to spend*
gwas (gweision) *servant*
gwastraffu *to waste*
gwddf *neck*
gweddill *rest*
gwefus (-au) *lip*
gweiddi *to shout*
gweithio *to work*
gweld *to see;* os gwelwch yn dda *please*

gwelw *pale*
gwely *bed*
gwell *better;* fyddai'n well 'da chi? *would you prefer?*
gwellt *straw*
gwen *gweler* gwyn
gwên *smile*
gwenu (ar) *to smile (at)*
gwerdd *gweler* gwyrdd
gwers *lesson*
gwersyll *camp*
gwerth *worth*
gwerthfawr *valuable*
gwerthiant *sale*
gwerthu *to sell*
gwestai *guest*
gwesty *hotel*
gwin *wine*
gwir *true;* y gwir *the truth;* yn wir *indeed*
gwisgo *to wear, put on*
gwlad *country*
gwlyb *wet*
gwneud *to make; to do*
gŵr *man; husband*
gwrach *witch*
gwraig *woman; wife*
gwrando (ar) *to listen (to)*
gwreiddiol *original*
gwrthod *to reject*
gwthio *to push*
gwybod *to know*
gwydr *glass*
gwydraid *a glass(ful)*
gwydryn *a glass*
gwylio *to watch*
gwyllt *wild*
gwyn, gwen *white*
gwyrdd, gwerdd *green*
i gyd *all*
ar gyfer *for*
gyferbyn (â) *opposite*
gyrfa *career*
gyrru *to drive*
gyrrwr *driver*

haearn *iron*
haf *summer*
hafoty *summerhouse*
hances *handkerchief*
hanes *story; history*
hanner *half;* hanner dydd *midday;*

hanner nos *midnight*
hapus *happy*
hardd *beautiful*
heb *without*
hedfan *to fly*
heddlu *police*
heddwch *peace*
hefyd *also, as well*
heibio (i) *past*
helpu *to help*
helynt *trouble*
hen *old;* hen bethau *antiques*
heno *tonight*
heol *road*
heulog *sunny*
hir *long*
hiraethu *to yearn*
hoffi *to like;* fe hoffwn i *I would like*
holl *whole*
honno *that*
hun *self;* ei farwolaeth ei hun *his own death*
hunllef *nightmare*
hwnnw *that*
hwtio *to hoot*
hwyliog *lively*
hwyr *late*
hyd; ar hyd *along, all over;* cael hyd i *to find;* dod o hyd i *to find;* hyd yn hyn *up to now;* hyd yn oed *even;* o hyd *still*
Hydref *October;* hydref *autumn*
hyfryd *nice*
hŷn *older*
hynny *that*
hysbyseb *advertisement*
hysbysebu *to advertise*

iach *well*
iawn *very; well; OK*
ifanc *young*

jîns *jeans*

lampau mawr *headlights*
lan lofft *upstairs*
i lawr *down*
lefel *level*
lein *line*
lolfa *lounge*
lwc *luck;* pob lwc! *best of luck!*
lwcus *lucky*

74

lladd *to kill*
llall (lleill) *other*
llais (lleisiau) *voice*
llanc (-iau) *youth*
llannerch *clearing*
llaw (dwylo) *hand;* gyda llaw *by the way*
llawer *much; many; a lot of*
llawn *full*
llawr *floor*
lle (-oedd) *place;* lle *where*
lledr *leather*
lleiaf *least;* o leiaf *at least*
lleill *others*
lleol *local*
llestr (-i) *dish*
llethr *slope*
llew *lion*
llifo *to flow*
llinell (-au) *line*
lloer *moon*
llofnodi *to sign*
llofrudd *murderer*
llond *full;* llond bol *a bellyful*
llonydd *quiet;* gadewch lonydd i ni *leave us alone*
llosgi *to burn*
llun *picture*
Llundain *London*
llwybr (-au) *path*
llwyd *grey*
llwyddiannus *successful*
llwyddiant *success*
llwyddo *to succeed*
llwyfan *platform, stage*
llwyr *complete*
llychlyd *dusty*
llyfr (-au) *book;* llyfr ffôn *phone book;* llyfr ymwelwyr *visitors' book*
llygad (llygaid) *eye*
llym *sharp*
llyncu *to swallow*
llynedd *last year*
llythyr (-au) *letter*

mab *son*
maes parcio *car park*
maith *long*
man *place*
manwl *detailed*
marw *to die; dead*
marwolaeth *death*

masnachwr *trader*
mater *matter*
math *sort;* o'r fath *of the sort;* y fath beth *such a thing*
mawr *big*
meddai *said*
meddal *soft*
meddwi *to get drunk;* wedi meddwi *drunk*
meddwl *to think; to mean*
meddwl *mind;* meddyliau *thoughts*
meddyg *doctor*
melyn *yellow*
melys *sweet*
menter *venture*
merch (-ed) *girl*
methu *to fail*
mewn *in;* i mewn i *into*
mil *thousand*
milltir *mile*
miniog *sharp*
mis (-oedd) *month*
miwsig *music*
modryb *aunt*
modur *motor*
mor *so; as*
morwyn *maid*
munud *minute*
mur *wall*
mwy *more*
mwynhau *to enjoy*
myfyriwr *student*
mynd *to go;* mynd yn *to become;* mynd ymlaen, mynd yn ei blaen *to go on*

nabod *to know*
nant *stream*
naw *nine*
nawr *now*
neb *nobody*
neges *message*
neithiwr *last night*
nerfus *nervous*
nesaf *next*
neu *or;* neu beidio *or not*
newid *to change*
newydd *new;* newyddion *news;* rwy newydd gael *I have just had*
nodwydd (-au) *needle*
nodyn *note*
nos, noson *night*

75

ochneidio *to groan; to sigh*
ochr *side*
oed *of age, old*
oedran *age*
oer *cold*
oeraidd *cold*
ofn *fear;* roedd ofn arno *he was afraid*
ofnadwy *terrible*
ofni *to fear*
oherwydd *because*
ôl (olion) *trace;* olion bysedd *fingerprints;* ar ôl *after;* yn ôl *back; ago; according to*
olaf *last*
olwyn *wheel*
ond *but*
on'd do? *didn't he?*
ots; doedd dim ots ganddi *she didn't care*

paffiwr *boxer*
palmant *pavement*
pam *why?* pam lai *why not?*
pan *when*
paned o de *cup of tea*
papur *paper;* papur newydd *newspaper*
paratoi *to prepare*
parc *park*
parcio *to park; parking*
parod *ready;* yn barod *already*
pawb *everyone*
pedwar, pedair *four*
peint *pint*
peiriant *engine*
pell *far;* o bell *from afar*
pellter *distance*
pen (-nau) *head; end; top;* ar ei ben ei hun *by himself*
pen-blwydd *birthday*
pencampwriaeth *championship*
pendant *definite*
penderfynu *to decide*
pen-lin (penliniau) *knee*
pentref (-i) *village*
penwythnos *weekend*
perchennog *owner*
pert *pretty*
perthyn *to belong*
petruso *to hesitate*
peth (-au) *thing*
pigo bwrw *to spot with rain*

plaen *plain*
plentyn (plant) *child*
plismon *policeman*
pob *every*
pobl *people*
poblogaidd *popular*
poced *pocket*
poeni *to worry*
poeth *hot*
popeth *everything*
posibl *possible*
pot blodau *flowerpot*
preifat *private*
y presennol *the present*
prifddinas *capital city*
prifysgol *university*
priodi *to marry*
pris (-iau) *price*
profi *to taste; to prove*
profiad *experience*
protestio *to protest*
pryd? *when?* hen bryd *high time;* ar y pryd *at the time;* ar hyn o bryd *at this moment;* ar yr un pryd *at the same time;* o bryd i'w gilydd *from time to time*
pryderus *anxious*
prydferth *beautiful*
prydlon *punctual*
prynhawn *afternoon*
prynu *to buy*
pum, pump *five*
punt (punnau) *pound*
pwll *pit*
pwrpas *purpose*
pwy? *who?*
pwyntio *to point*
pwys; o bwys *important*
pwysig *important*
pwyso *to lean*
pymtheg *fifteen;* un ar bymtheg *sixteen*
pync (pyncs) *punk*
pythefnos *fortnight*

reit *right*

rhad *cheap*
rhai *some*
rhaid *must*
rhamantus *romantic*
rhan *part;* ar ran *on behalf of*

76

rhannu *to share*
rhedeg *to run*
rhent *rent*
rheoli *to control*
rheolwr *manager*
rheswm *reason*
rhieni *parents*
rhif *number*
rhoddi, rhoi *to give; to put*
rhwbio *to rub*
rhwng *between*
rhwydwaith *network*
rhwystro (rhag) *to prevent (from)*
rhy *too*
Rhydychen *Oxford*
rhyfedd *strange*
rhyfeddol *wonderful*
rhyfel cartref *civil war*
rhyw *some*
rhywbeth *anything, something;* oes rhywbeth yn bod? *is anything the matter?*
rhywle *somewhere*
rhywun *someone*

Sadwrn *Saturday*
saethu *to shoot*
saith *seven*
sâl *ill*
sawl *several*
Sbaen *Spain*
Sbaeneg *Spanish*
sbâr *spare*
sbectol *spectacles*
sbel *some time*
sbon; newydd sbon *brand new*
sedd *seat*
sefyll *to stand*
sefyllfa *situation*
seimlyd *greasy*
seren (sêr) *star*
sgarmes *skirmish, fight*
sgert *skirt*
sgidiau *shoes*
sgwâr *square*
sgwrs *talk;* troi'r sgwrs *to change the subject*
siaced (-i) *jacket*
siarad *to speak*
siawns *chance*
siec *cheque*
sieri *sherry*

sigarét *cigarette*
siglo *to shake*
sinig *cynic*
sioc *shock*
siop (-au) *shop;* siop hen bethau *antique shop*
sipio *to sip*
siŵr *sure;* siŵr o fod *surely*
siwt *suit*
smygu *to smoke*
soffa *sofa*
sôn (am) *to mention; to talk (about)*
stiwdio recordio *recording studio*
stof *stove*
stôl *stool*
stopio *to stop*
stori *story*
stryd *street;* stryd fawr *high street*
stwff *stuff*
Sul *Sunday*
sut? *how? what sort of?* sut bynnag *anyway*
sw *zoo*
sŵn *sound, noise*
swnio *to sound*
swnllyd *noisy*
swper *supper*
swrth *lifeless*
swydd *job*
swyddfa *office;* swyddfa'r heddlu *police station*
sych *dry*
sychu *to dry; to wipe*
sydyn *sudden*
sylw *attention*
sylwi *to notice; to observe*
syllu (ar) *to stare (at)*
symud *to move*
syn *surprised*
syniad *idea*
synnwyr *sense;* synnwyr cyffredin *common sense;* synnwyr digrifwch *sense of humour*
syr *sir*
syrthio *to fall*
syth *straight*

taclus *tidy*
tacteg (-au) *tactic*
tad *father*
tafarn (-au) *pub*
taflu *to throw*

tair *gweler* tri
taith *journey*
tal *tall*
talcen *forehead*
talu *to pay*
tan *until*
tân *fire*
tanio *to light, to start up*
taro *to strike, hit, knock*
tawel *quiet*
tawelu *to become quiet*
te *tea*
tegell *kettle*
teimlo *to feel*
teithio *to travel*
tenau *thin*
tensiwn *tension*
teulu *family*
tipyn *a bit*
toiled *toilet*
torri *to break*
tost *ill;* pen tost *headache*
tra *while*
traed *feet*
trafod *to discuss*
trafferth *trouble*
traffig *traffic*
trannoeth *the following day*
tref *town*
trefnu *to arrange*
treulio *to spend (time)*
tri, tair *three*
trigain *sixty*
trist *sad*
tro *time;* y tro diwethaf *last time;* y tro
   yma *this time;* mynd am dro *to go
   for a walk*
troed (traed) *foot*
troellwr recordiau *disc jockey*
troi *to turn*
trowsus *trousers*
trwchus *thick*
trwy *through*
trwyn *nose*
y tu allan *outside;* y tu mewn *inside;*
   y tu ôl *behind*
tua *about; towards;* tuag at *towards*
twr *tower*
twyllo *to deceive, cheat*
tŷ (tai) *house*
tylluan *owl*
tymer *temper*

tynnu *to pull;* tynnu llun *to take a
   picture;* tynnu sylw *to distract, draw
   attention*
tywel *towel*
tywydd *weather*
tywyll *dark*
tywyllwch *darkness*

uchel *high; loud*
ugain *twenty*
un *one;* yr un *the same*
unig *lonely;* yr unig *the only*
yn union *exactly; immediately*
unrhyw *any*
unwaith *once;* ar unwaith *at once*
uwchben *above*

wal *wall*
waled *wallet*
wats *watch*
wedyn *afterwards, then*
weithiau *sometimes*
wrth *by;* wrth gwrs *of course*
wy (-au) *egg*
wylo *to cry*
wyneb *face*
wynebu *to face*
wyth *eight;* wyth ar hugain *28*
wythnos (-au) *week*

ychwanegu *to add*
ychydig *a few, a little*
yfed *to drink*
ynghylch *about*
ynglŷn â *about*
ymarfer *practice; to practise*
ymchwilio *to research, enquire*
ymdrech *effort*
ymddangos *to appear*
ymhen *in (time)*
ymlaen *on*
ymolchi *to wash*
ymosod (ar) *to attack*
ymuno (â) *to join*
ymweld (â) *to visit*
ymweliad *visit*
ymwelydd (ymwelwyr) *visitor*
yn ymyl *beside*
yno *there*
ysbyty *hospital*
ysgol *school*
ysgrifennu *to write*

ysgrifenyddes *secretary*
ysgwydd (-au) *shoulder;* codi
   ysgwyddau *to shrug one's shoulders*
ystafell (-oedd) *room;* ystafell fwyta
   dining room; ystafell wely *bedroom;*
   ystafell ymolchi *bathroom*
yn ystod *during*
ystyried *to consider*
yswiriant *insurance*